Relações humanas na família e no trabalho

Dados Internacionais de Catalogação na Publicação (CIP)
(Câmara Brasileira do Livro, SP, Brasil)

Weil, Pierre
Relações humanas na família e no trabalho / Pierre Weil ; ilustrações de Roland Tompakow. – 57. ed. – Petrópolis, RJ : Vozes, 2013.

2ª reimpressão, 2017.

ISBN 978-85-326-0252-7

1. Ambiente de trabalho 2. Família 3. Relações interpessoais I. Tompakow, Roland. II. Título.

05-1487 CDD-158.2

Índices para catálogo sistemático:

1. Relações humanas : Psicologia aplicada 158.2
2. Relações interpessoais : Psicologia aplicada 158.2

Pierre Weil

Relações humanas na família e no trabalho

Ilustrações de Roland Tompakow

Petrópolis

© 1971, Editora Vozes Ltda.
Rua Frei Luís, 100
25689-900 Petrópolis, RJ
www.vozes.com.br
Brasil

Todos os direitos reservados. Nenhuma parte desta obra poderá ser reproduzida ou transmitida por qualquer forma e/ou quaisquer meios (eletrônico ou mecânico, incluindo fotocópia e gravação) ou arquivada em qualquer sistema ou banco de dados sem permissão escrita da editora.

Qualquer semelhança das ilustrações ou do texto com o leitor ou pessoas conhecidas é mera coincidência.

Fotolitos gentilmente cedidos pela Civilização Brasileira.

CONSELHO EDITORIAL

Diretor
Gilberto Gonçalves Garcia

Editores
Aline dos Santos Carneiro
Edrian Josué Pasini
José Maria da Silva
Marilac Loraine Oleniki

Conselheiros
Francisco Morás
Leonardo A.R.T. dos Santos
Ludovico Garmus
Teobaldo Heidemann
Volney J. Berkenbrock

Secretário executivo
João Batista Kreuch

Editoração: Fernanda Rezende Machado
Diagramação e capa: AG.SR Desenv. Gráfico
Ilustração: Roland Tompakow

ISBN 978-85-326-0252-7

Editado conforme o novo acordo ortográfico.

Este livro foi composto e impresso pela Editora Vozes Ltda.

Sumário

Prefácio a 53ª edição

Quando esta edição for publicada estaremos perto de festejar os cinquenta anos desta obra. Meio século se passou e me encontro cinquenta anos mais velho, ultrapassando os oitenta anos de idade.

Com o recuo dos anos, dei-me conta de que o sucesso deste livro teve grande influência na formação de minha missão a serviço da paz e mais especialmente de educação para a paz.

Tornei-me, com efeito, conhecido como homem da paz, pois lidar com relações humanas consiste antes de tudo em estabelecer a paz entre os seres humanos. Depois de um retiro de três anos com mestres do Tibete, o governador de Brasília me convidou para criar e assumir a direção da Universidade da Paz em Brasília, a Unipaz. Esta universidade se espalhou pelo Brasil e pelo mundo, e conta com campus em Paris, Lisboa, Bruxellas, Escócia, Buenos Aires entre outros.

Tudo o que falo no prefácio precedente ainda é válido. Podemos acrescentar que houve um aumento de mulheres nas empresas, e um grande desenvolvimento da informática. Consagrei um livro ao primeiro assunto, sob o título *O fim da guerra dos sexos*. Quanto à informática, podemos observar a sua influência tanto positiva como negativa nas relações humanas. Pois, se, de um lado, ela aumentou muito as relações entre povos através da formação de redes de intercomunicação – pode-se até namorar e casar via internet – o uso individual de computadores tende a isolar as pessoas umas das outras, tanto no trabalho como na família. É ainda cedo para avaliar os efeitos deste isolamento na evolução humana pessoal e interpessoal.

Convém falar também do aumento da violência que justifica não somente uma divulgação da educação para a paz, mas também de livros e aulas de relações humanas. Isto explica, aliás, que o presente livro se tenha tornado um manual usado em muitas escolas superiores, de diferentes ramos ligados ao assunto.

Em outras palavras o presente livro não somente se torna mais atual e necessário hoje, como o será, ainda, para um futuro longínquo.

Brasília, 20 de fevereiro de 2005
Pierre Weil

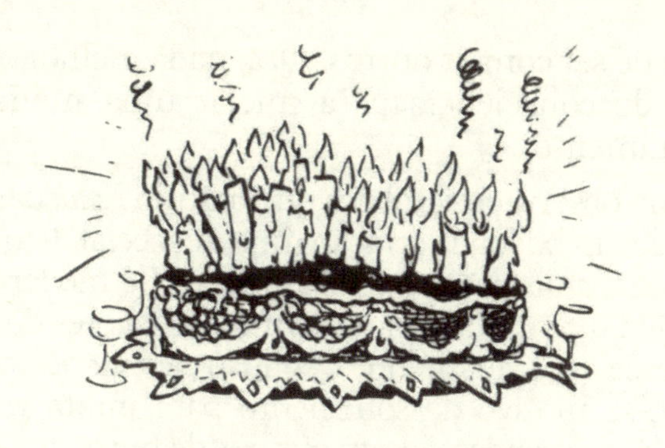

Prefácio a 30ª edição

Há vinte anos que o presente livro vem se esgotando nas contínuas e sucessivas edições. A imprensa logo o classificou como *best-seller*, em 1958.

Desde então me tenho perguntado qual a razão de tamanho sucesso, pois é com certeza o livro que menos trabalho me deu. Talvez seja o fato de ter sido escrito de maneira espontânea, com uma linguagem simples e acessível ao grande público, embora traduzindo frutos de observações e pesquisas de nível científico. É, ao menos, uma das razões.

As ilustrações de Roland, meu amigo de tantos anos, também explicam sem dúvida o êxito desta obra; a sua vasta experiência artística e sua cultura ímpar se refletem a todo instante nas suas caricaturas que dizem concretamente o que o estilo às vezes abstrato do autor deixa nas entrelinhas.

Mas não é só isto, pois outros livros meus ilustrados por Roland não tiveram tamanha saída. Há algo mais.

Inúmeras pessoas até hoje me têm agradecido, dizendo que o livro não só lhes foi útil, mas constitui um marco na sua vida íntima ou profissional; é um livro que, por conseguinte, ajuda as pessoas a tomar consciência da sua maneira de ser com os outros. Ora, nada melhor que uma tomada de consciência para iniciar uma mudança de comportamento.

Tenho observado também que o título *Relações humanas* exerce um poder de atração muito especial. Isto se deve, sem dúvida, a um fator importante na vida moderna: a deterioração tanto da "relação" quanto dos valores do "humano". Cresce continuamente a solidão nas grandes cidades, tornando-se motivo de sofrimento para muita gente. De outro lado, os grandes valores eternos da humanidade: a beleza, a verdade e o amor... estão sendo eliminados, oprimidos pela tecnologia e frieza de uma certa ciência fundamentada num cartesianismo já quase obsoleto.

É exatamente isto que o leitor está buscando neste livro, e creio que ele o encontrou em grande parte.

Perguntei-me também se nesses vinte anos teria eu a acrescentar algo de novo. Já fiz alguns acréscimos de capítulos ou parágrafos. Na presente edição resolvi também enriquecer a obra, exatamente no sentido desses valores eternos da humanidade. Com efeito, trabalhos recentes, mais particularmente do psicólogo Abraham Maslow, colocaram em relevo a importância dos valores superiores na vida humana, no trabalho, no lar, na amizade ou mesmo nas relações do homem consigo mesmo. Embora subjacentes a muito do que já tinha escrito, me pareceu necessário incluir estes aspectos de modo explícito na presente edição.

Assim sendo, o trabalho humano, as relações amorosas, as relações entre pais e filhos e a vida interior, quando realmente bem-sucedidos, assumem um caráter transcendental e transpessoal. Acima dos papéis sociais aprendidos, acima dos condicionamentos que moldaram o nosso comportamento, existe um encontro das essências dos seres.

Quando a máscara cai, o que resta? Eis a questão fundamental das relações humanas.

Ao reler e rever o livro, perguntei-me também se o escreveria de novo tal qual ele se apresenta. A resposta é difícil de ser dada. Um livro é sempre o espelho do estado de evolução em que se encontra o autor; tornei-me com certeza menos rígido, e isto influencia decerto o meu estilo atual; talvez seria menos categórico em certas afirmações; o meu estilo expressaria ideias mais flexíveis.

De outro lado, o mundo evoluiu também nestes vinte anos, mas o livro estava muito na frente da sua época; isto explica que ele ainda seja muito atual. Certas ideias que acrescentei e já assinalei mais acima neste prefácio são hoje adiantadas, mas, assim o espero, integrarão o sistema de valores do futuro, pois fazem parte do acervo da humanidade no que ela tem de mais precioso.

Acrescentei um parágrafo de grande importância sobre o consumo de drogas pela juventude, que está preocupando enormemente os pais e educadores. Procurei analisar as causas deste fato nas relações humanas e como deveria ser tratado este problema sob o qual se escondem muitos aspectos essenciais da vida moderna.

Belo Horizonte, julho de 1976
Pierre Weil

Introdução

Em todos os setores da vida, encontramos problemas de relações humanas: no serviço social, na administração de empresas, na educação, no matrimônio e na família, no exército, nos esportes, nos partidos políticos, na liderança e na direção dos homens em geral, no comércio e na indústria.

O estudo das relações humanas constitui, hoje, verdadeira ciência complementada por uma arte – a de obter e conservar a cooperação e a confiança dos membros do grupo.

A parte científica abrange problemas e soluções de ordem psicológica, sociológica, administrativa e legal.

Problemas de relações humanas se encontram nas relações do indivíduo com o grupo, dos indivíduos entre si, do grupo com outros grupos, do líder com o grupo, do indivíduo com o líder.

Onde se encontram dois indivíduos, há problema de relações humanas.

Nas escolas, se o professor não for um líder dos seus alunos, quer dizer, se os alunos não gostarem dele e não o seguirem como mestre, terá ele perdido a metade do seu trabalho. A pedagogia moderna utiliza-se dos trabalhos em grupos para conseguir maior interesse dos alunos e, por conseguinte, maior rendimento na aprendizagem.

Entre marido e mulher, surgem com grande frequência, depois do entusiasmo do noivado, discussões, ciúmes, revoltas, que são outros tantos problemas de relações humanas.

Quanto mais unido for um time de futebol, maiores serão as suas oportunidades de vitória.

Pai irritável e autoritário conseguirá na educação do filho resultados diferentes dos de um pai compreensivo, paciente e equilibrado nas suas reações. Os problemas que surgem entre pais e filhos são problemas de relações humanas.

Partido político desunido é partido sem forças vitais; conhecemos, ao longo da história da humanidade, exemplos de grupos políticos afogados pela desunião dos seus membros.

Vendedores que atendem mal a freguesia vendem menos que os que foram submetidos a um treino em relações humanas.

Se olharmos todos os setores da vida moderna, verificaremos que o homem já não pode trabalhar sozinho. A divisão do trabalho, a especialização cada vez maior, o tornam dia a dia mais dependente de seu grupo, e consequentemente dos indivíduos que o compõem.

Nas oficinas, nas lojas, nos escritórios, nas pesquisas científicas, o trabalho em equipe é imprescindível; e o é a tal ponto que, quando prejudicado, verifica-se a baixa do rendimento ou simplesmente a paralisação do trabalho. Muitos dos que lerem este livro já deverão ter observado que certos empreendimentos fracassaram, apesar de disporem de instalações materiais ideais, de ótimos instrumentos de laboratório, da mais perfeita maquinaria, de técnicos formados nas maiores escolas; entretanto, os objetivos não foram atingidos porque a equipe falhou, embora todos, inicialmente, trabalhassem com entusiasmo; é que este foi arrefecendo, à medida que surgiam dificuldades de ordem pessoal, desentendimentos, falta de disciplina, ciúmes.

É mera ilusão pensar que vida em grupo consiste, simplesmente, em juntar indivíduos com o fito de atingir um objetivo comum. A formação de um grupo para realizar trabalho coletivo obedece a leis "psicossociais", que determinam regras a serem seguidas, regras que, quando contrariadas, levam em geral as empresas a fracassos totais ou parciais.

O trabalho coletivo depende de fatores complexos que determinam a ação do grupo sobre o indivíduo, e também do indivíduo sobre o grupo, principalmente quando aquele indivíduo é o líder.

É, portanto, do entrosamento destas três realidades sociais – o "grupo", os "indivíduos que compõem o grupo" e o "líder" – que depende o êxito do trabalho em coletividade.

O objetivo deste livro sobre relações humanas é fornecer ao leitor indicações, embora superficiais, porém as mais modernas, sobre os diferentes tipos de problemas de relações humanas, dando sugestões quanto às suas respectivas soluções.

A primeira parte será dedicada às relações de trabalho, na liderança e na parte executiva.

Não podíamos falar de problemas de trabalho sem abordar o das relações familiares, pois há uma inter-relação grande entre a vida profissional e a vida familiar. É difícil verdadeiro equilíbrio profissional sem vida individual e familiar harmoniosa; por isto consagramos a segunda parte deste livro às relações humanas na família, tanto no que se refere às relações entre esposos como entre pais e filhos.

É evidente que, em poucas páginas, só nos será possível abordar o principal, o que talvez seja uma vantagem para o leitor atarefado e sobrecarregado pelas mil e uma obrigações da vida moderna.

Os dados deste estudo são frutos, na maioria das vezes, de investigações científicas feitas através de questionários, testes psicológicos, psicanálise ou observações psicológicas de pessoas desajustadas. Onde não houver ainda experiência suficiente a respeito do assunto, tentaremos emitir opiniões pessoais.

Parte I
Relações humanas no trabalho

Introdução

Há anos um grande grupo industrial resolveu instalar uma fábrica. Mandou comprar maquinaria das mais modernas, instalando-a em prédio planejado pelos melhores arquitetos. Hoje, esta indústria está em fase de desagregação; os seus dirigentes perderam o controle da situação. O que aconteceu foi o esquecimento total, por parte dos dirigentes, de que uma indústria é dirigida, mantida e controlada por homens. Esqueceram que ao lado do fator maquinaria e instalação existe o fator humano.

Posso citar numerosos exemplos neste sentido como o do laboratório no qual se mandaram instalar instrumentos de valor imenso, instrumentos que até hoje não souberam manejar.

Exemplo mais frequente ainda do esquecimento do fator humano pode ser observado em numerosos escritórios, onde computadores de última geração registram erros clamorosos feitos por digitadores inaptos. O que é mais importante? Um bom digitador em um computador mediano ou um ótimo computador manejado por um digitador desatento e sem conhecimentos elementares de português?

Por muito tempo acreditou-se, no início do último século, que o maquinismo e a economia resolveriam o problema da produtividade. A experiência mostrou que isto não é verdade. A multiplicação dos acidentes de trabalho, o aparecimento de doenças profissionais, os fracassos de indivíduos inaptos, os problemas de relações humanas (atritos, rivalidades, ciúmes, incapacidade de dirigir) levaram empreendimentos promissores a fracassos totais. Além disso, por consequência da divisão do trabalho, o ser humano já não sente mais a mesma razão de trabalhar que antigamente era a satisfação de admirar obras criadas pelas próprias mãos. O estímulo de outrora não pode ser mais o estímulo de hoje; diante da monotonia de um trabalho sem objetivo aparente, o homem está se tornando, cada vez mais, peça de uma engrenagem, autômato, escravo – técnico do tipo descrito por Georghious.

O estudo do fator humano e a resolução dos problemas atinentes a este não podem mais ficar ausentes da organização moderna, pois o homem é mais importante que a máquina. O homem é capaz de fabricar uma máquina, mas nunca se viu a máquina fabricar um homem.

I

O fator humano nas organizações

O estudo do fator humano nas organizações pode ser dividido em três partes principais:

1) Adaptação do homem ao trabalho

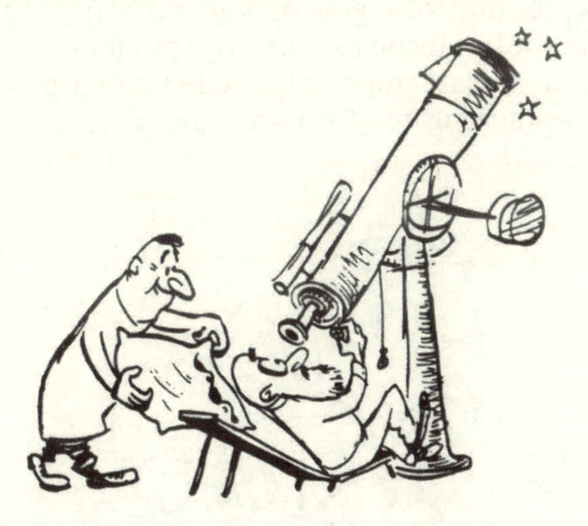

2) Adaptação do trabalho ao homem

3) Adaptação do homem ao homem

1. Adaptação do homem ao trabalho

Um dia, uma firma comercial nos chamou, porque um dos seus vendedores mais antigos estava completamente desajustado; não queria mais vender; ficava conversando com os colegas na hora do trabalho. Examinamos essa pessoa e verificamos que tinha nível mental superior ao exigido para a profissão de vendedor, que se interessava em dirigir os outros e tinha temperamento demasiado independente para ficar subalterno toda a vida. Por outro lado, depois de mais de quinze anos de firma, sentia-se desanimado, pois os seus dirigentes tinham o hábito de contratar chefes e gerentes por fora, sem procurar saber se antigos empregados poderiam ser promovidos para os mesmos lugares. Comunicamos ao gerente do pes-

soal que este empregado devia ser promovido a gerente o mais depressa possível, pois não só demonstrava aptidão, mas, também, inteligência profissional para isto. A em-

presa seguiu a nossa indicação e hoje o antigo empregado desajustado é um dos sócios-diretores da firma.

É possível, hoje, com relativa facilidade, por meio de exames psicológicos, classificar as pessoas em função das suas aptidões, gostos, interesses e personalidade. Recentemente, um industrial confessou-nos que gastava verdadeira fortuna, por ano, em renovação de pessoal. Pelas experiências que foram realizadas no estrangeiro e as observações feitas por nós no Brasil e publicadas por revistas especializadas, ficou comprovado que, sem a utilização da psicologia, aproximadamente 50% dos empregados estão sendo renovados no espaço de um ano. Com a ajuda da classificação psicológica do pessoal a instabilidade da mão de obra decresce a 20 ou menos 10%. Colocando "cada macaco no seu galho", como diz a gíria, consegue-se tornar o ser humano mais feliz e a organização mais produtiva.

Outro aspecto do mesmo problema é o criado pelos dirigentes que procuram seus empregados ou colaboradores fora da empresa, quando dentro do próprio quadro do pessoal têm a pessoa procurada, porém ignorada, por ser demasiadamente tímida, discreta, ou mesmo eficiente. Bastaria aperfeiçoar ou treinar a pessoa, por meio de curso ou estágio, para conseguir um colaborador muito mais eficiente do que qualquer outro apanhado fora da empresa; o empregado já conhece a organização e já está ambientado. De outro lado, a promoção e o aperfeiçoamento do pessoal em exercício constituem excelente estímulo para todos que queiram progredir na vida. Se a classificação e a orientação psicológica, a formação e o treinamento de pessoal constituem parte essencial da adaptação do homem ao trabalho, existe ainda um outro aspecto neste mesmo capítulo que permite dar mais felicidade ao homem, aumentando sua produtividade.

Um diretor que recebe muitos telefonemas, estando seu aparelho em uma mesinha três ou quatro metros distante de sua mesa de trabalho, gastará muito mais energia do que se o aparelho estiver ao alcance de sua mão. Do mesmo modo, um carimbador que mantém a almofada do carimbo à distância de um metro produzirá menos, visto que para operar com 100 envelopes terá de percorrer com o braço o total de 200 metros, o que seria reduzido a 10 metros se a almofada estivesse a seu lado. É, por conseguinte, necessário eliminar os movimentos inúteis para aumentar a produtividade. A diminuição do cansaço é ainda maior quando se introduz o ritmo no trabalho. A organização de repousos intercalados de hora em hora ou mesmo de meia em meia hora, conforme o caso, aumenta o rendimento em vez de diminuí-lo, como se poderia pensar à primeira vista. Certas experiências mostraram que diminuindo o número de horas de serviço se conseguiu aumentar o rendimento; a regra inversa também é verdadeira. É conhecido, por exemplo, que os governos aliados durante a Segunda Guerra Mundial viram o rendimento das indústrias diminuir após ter aumentado o número de horas de trabalho. Aplicando, com critério, métodos psicológicos, chegou-se a demonstrar a realidade do seguinte paradoxo: é possível produzir mais trabalhando menos.

2. Adaptação do trabalho ao homem

O ambiente físico de trabalho, a maquinaria, as instalações em geral, têm de ser adaptados ao homem. Sabe-se, hoje, por exemplo, que a produção aumenta com paredes pintadas de cor verde ou amarela. A cor cinza ou escura, ao contrário, deprime e provoca diminuição do rendimento. A cor vermelha é mais estimulante que a primeira, porém provoca, ao longo do tempo, cansaço e irritação. Outro exemplo, já clássico, é a adaptação dos assentos à fisiologia de cada pessoa. Leon Walther conseguiu aumentar o rendimento de uma relojoaria na Suíça simplesmente colocando o operário à vontade em uma cadeira, na qual as costas têm o seu devido apoio, diminuindo, assim, o desgaste de energia.

3. Adaptação do homem ao homem

Às vezes ouço estas palavras de dirigentes: "Isso tudo é muito bonito; consegui altos salários para meu pessoal, consegui abono de natal, tratamento médico, dentário, estou classificando o pessoal com testes psicológicos e apesar de tudo isso a coisa não anda!" "A coisa não anda", porque ainda não foi criado dentro da empresa um ambiente de trabalho feito de confiança mútua e de respeito humano. O pessoal recebe ordens secas a serem cumpridas sem a mínima explicação e satisfação. Ora, sabe-se hoje que uma pessoa que faz uma coisa ciente da importância do seu trabalho e do seu respectivo valor produz muito mais do que uma pessoa da qual se pede simplesmente obediência.

Reuniões periódicas dos dirigentes e do pessoal nos diferentes graus de hierarquia, nas quais se debatem os problemas da empresa com franqueza e sem "panos quentes", aliadas a um sistema justo de promoção e de remuneração, feito a céu aberto e não às escondidas, cria ambiente de confiança e de cordialidade. Quero lembrar aqui o apelo lançado por um psicólogo americano que dizia: "Você pode comprar o tempo de um homem; você pode comprar a presença física de um homem em determinado lugar; você pode igualmente comprar certa atividade muscular, pagando-a por hora ou por dia; mas você não

pode comprar entusiasmo; você não pode comprar iniciativa; você não pode comprar lealdade; você não pode comprar devoção de corações, de espíritos, de almas; essas virtudes você deve conquistá-las".

O modo de direção, tanto a autocrática como a paternalista, está sendo superada e substituída por uma direção liderada. O líder é a pessoa que consegue a cooperação dos membros da organização que ele dirige. Na adaptação do dirigente ao dirigido é necessário pensar-se no treinamento dos gerentes, diretores e chefes.

Se nos processos de liderança é necessário adaptar o dirigente ao dirigido, o contrário também é verdadeiro.

Quando, por exemplo, escolhe-se uma secretária para um dirigente, não basta esta pessoa ter inteligência, cultura geral e especial adequadas, mas ainda é necessário que os temperamentos combinem; dirigente instável e desordenado precisa de secretária atenciosa, extremamente ordenada e metódica. Colocar uma secretária de temperamento independente com um chefe de natureza autoritária leva quase sempre a conflitos e atritos sérios.

2
O grupo

1. Que é grupo social?

Pessoas que se encontram, que se reúnem para jogar futebol, estudar insetos, construir uma ponte, ou, simplesmente, conversar, constituem grupos sociais.

Grupo é toda reunião de indivíduos em torno de um objetivo comum.

O grupo pode formar-se espontaneamente, como é o caso de crianças num parque de jogo, que se procuram sem se conhecerem para brincar juntas; é o caso também de alguns homens que se reúnem no campo, para apagar o fogo da casa de um vizinho ou ajudar na colheita de um deles, ou, ainda, num escritório ou oficina, para conseguir, da direção superior, aumento de ordenado.

Quando a formação do grupo foi voluntariamente planejada, antes de ser formado ou depois da sua aparição espontânea, podemos falar de grupo organizado.

Clubes, times esportivos, turmas de alunos, comissões técnicas ou políticas, batalhões militares, equipes de operários, estados-maiores e conselhos diretores são grupos organizados.

2. Composição e estrutura dos grupos sociais

Pesquisas efetuadas por meio de inquéritos "sociométricos" evidenciaram a existência, dentro de um grupo social, de laços de amizade, de simpatia ou mesmo de antipatia tais que podem reforçar a coesão do grupo ou destruir sua eficácia.

Estes laços existem por motivos psicológicos (simpatia), ou sociais (atividade em comum). Por exemplo: Duas pessoas:

"A" gosta de trabalhar com "B". Neste caso representaremos a relação dos indivíduos "A" e "B" da seguinte forma:

Outro caso possível: "B" gosta de trabalhar com "A". Neste caso a relação dos dois indivíduos "A" e "B" é assim representada:

Pode acontecer também que "A" gosta de trabalhar com "B", e "B" também gosta de trabalhar com "A".

A representação da relação dos dois indivíduos agora é a seguinte:

Este último grupo é o grupo social mais elementar, no seu estado ideal.

A produtividade do grupo composto por dois indivíduos que se antipatizam:

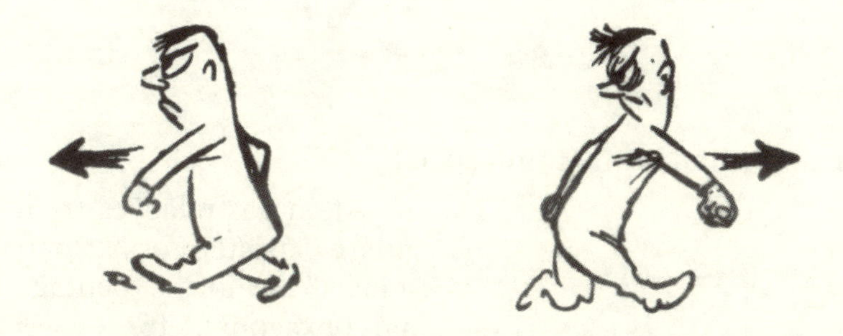

é em geral menor que no caso de uma escolha recíproca, em que os dois se simpatizam e colaboram um com o outro.

Dentro dos grupos maiores existem subgrupos com relações triangulares simples, como neste caso:

ou recíprocas:

constituindo um átomo social:

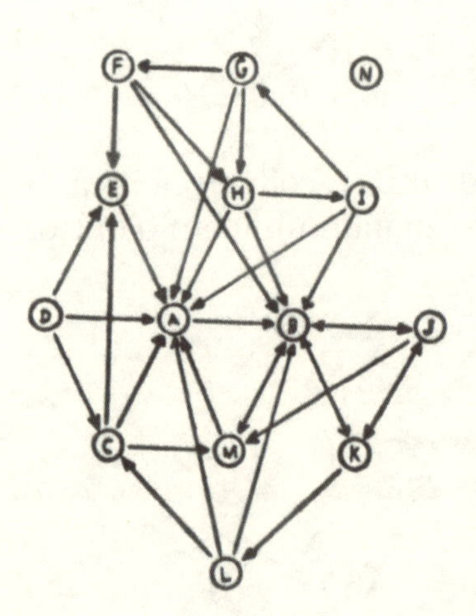

Além das relações triangulares, existem os "átomos sociais" de forma pentagonal, hexagonal, etc.

Da mesma forma, os grupos têm, entre si, relações de simpatia ou de antipatia.

As observações feitas, tanto no estrangeiro como no Brasil, mostram que numa empresa ou numa equipe de trabalho todas estas relações convergem ou divergem, no seguinte esquema ou "sociograma", tal como os que foram levantados pelo Centro de Psicologia Aplicada (Cepa) em grandes empresas do Rio de Janeiro, depois de ter perguntado a cada um: "Com quem gostaria de trabalhar?"

Nele, além dos grupos de duas pessoas com escolha unívoca (*D* e *C*) ou recíproca (*M* e *B*) dos átomos sociais triangulares (*B*, *J*, *K*), existem indivíduos que não foram escolhidos (*N*) e que não escolheram ninguém.

Constituem para a empresa verdadeiros problemas de natureza psicopessoal. De modo geral, estes indivíduos não têm aptidões para trabalhar em coletividade.

Em situação oposta temos o "A" e o "B", que foram escolhidos por um número de indivíduos superior ao comum. Reúnem em torno de si uma espécie de estrela, como mostra a seguinte forma:

Estes são líderes virtuais ou reais.

Estudar as forças que fazem com que os indivíduos gostem um do outro, assim, a dinâmica psicossocial do grupo que se queira estruturar, ou mesmo reestruturar, para atingir melhor o objetivo, eis a primeira medida a tomar, a fim de se conseguir o máximo de rendimento de uma equipe de trabalho.

Os psicólogos e sociólogos estão aptos a realizar esta importante investigação.

Quanto mais a distribuição das funções, a distribuição do trabalho e a estrutura administrativa se aproximarem da realidade sociodinâmica do grupo, maiores serão as possibilidades de êxito.

Os átomos sociais devem servir de base na organização de seções, das comissões ou dos grupos de trabalho.

Os líderes, dentro do sociograma, constituem, na maioria, os melhores chefes e diretores.

Os isolados ou rejeitados devem, em geral, trabalhar em ocupações isoladas.

Na prática, revela-se, às vezes, impossível adaptar a estrutura administrativa do grupo, ou a divisão do trabalho, à dinâmica social; isto porque nem sempre se encontram, no mesmo átomo social, indivíduos com formação necessária para realizar o trabalho. Nem sempre também o líder em potencial tem a formação e o nível mental suficientes para a chefia real. São razões que levam os grupos a passar por crises provocadas pelo desajustamento de um ou de vários de seus componentes.

É por isto que o grupo deve ter sempre o desejo de melhorar a si mesmo e de encontrar a solução para cada uma de suas crises.

3

O indivíduo

Sendo o grupo composto de indivíduos, é evidente que o seu êxito depende, estritamente, das atitudes dos indivíduos que o compõem.

São várias as condições pessoais necessárias ao indivíduo, a fim de que o grupo venha a ter êxito na sua produção.

1. A simpatia

Os fatores que levam dois indivíduos a se simpatizarem são ainda pouco conhecidos. Segundo certos psicólogos, eles dependem do ponto de vista pelo qual se encara a pessoa. Assim, uma senhora pode ser antipática a um esteta porque é feia, e simpática a um pianista por ambos gostarem das mesmas músicas.

Psicólogos acharam raízes familiares e hereditárias na simpatia, chegando a pretender que indivíduos que se simpatizam têm o mesmo tipo de doença mental na família. Na opinião de outros psicólogos, as nossas simpatias e antipatias estão guiadas, inconscientemente, por amigos e parentes parecidos com as pessoas com as quais se formou o sentimento.

Na realidade, as pesquisas sobre a simpatia estão ainda em seu início. O que importa, para nós, é que a simpatia existe e, por conseguinte, precisa ser considerada como uma das condições individuais indispensáveis ao trabalho coletivo.

2. Preparo do indivíduo

Há vários pontos de vista a considerar para que os indivíduos tenham êxito no trabalho em equipe:

1) *Ponto de vista linguístico.* É necessário o perfeito entendimento entre os indivíduos, principalmente em se tratando de trabalho intelectual, esclarecendo-se então as palavras sobre o seu real significado ou ainda a terminologia mais utilizada no serviço. Desentendimentos graves têm surgido entre indivíduos que, em demoradas discussões, deram significados diferentes à mesma palavra ou termo.

2) *Ponto de vista psicossocial.* As pessoas integrantes do grupo devem estar conscientes das principais dificuldades sociais que podem surgir durante o trabalho e, principalmente, saber superar as frustrações provenientes do atrito das tendências ou instintos dos componentes dos grupos. Devem conhecer-se suficientemente de maneira que não provoquem problemas originários do temperamento ou dos próprios complexos.

Evitar discussões em plano pessoal, excluindo expressões tais como: "eu acho que", "na minha opinião", "de acordo com a minha experiência", etc.

3) *Ponto de vista econômico-administrativo.* Antes de iniciar qualquer trabalho de equipe devem ser esclareci-

dos e combinados entre os membros do grupo, ou com a direção, conforme o caso, os seguintes pontos:

a) Repartição das responsabilidades e hierarquia.

b) Condições econômicas do trabalho (salário, regalias, etc.).

Voltaremos a estes pontos no último capítulo.

3. *O interesse pela atividade de grupo*

A produção dos indivíduos está estreitamente ligada ao interesse que têm pelo trabalho e os objetivos do grupo. Na origem destes interesses podem existir motivos diferentes, tais como:

1) *A necessidade de contato social e o desejo de servir ou de ser agradável a outrem.*

Este último tipo é o que encontra maiores motivos de satisfação no trabalho em coletividade.

2) *O desejo de ser admirado* e aprovado pelo grupo – dificilmente compatível com o espírito de cooperação necessário nas relações humanas. Esse tipo é, em geral, individualista.

3) *O desejo de posse*, de ganhar dinheiro, que leva os indivíduos a formar sociedade cujo único objetivo é o lucro.

4) *A necessidade de atividade e de realização* que leva os indivíduos a promoverem reformas e tomarem iniciativas.

5) *O instinto sexual* capaz de estimular os indivíduos para enfrentarem as mais difíceis situações e resolverem os mais sérios problemas, como também para criar embaraços e situações perigosas.

6) *O instinto de conservação* que se encontra na formação dos grupos, e existe, ainda hoje, em muitos casos.

7) *O instinto maternal* leva muitas mulheres que não puderam ter filhos a fazer parte de patronatos, clubes de assistência à infância ou a cuidar com carinho especial de pessoas que vivem sós.

8) *O instinto combativo* pode levar, por exemplo, à formação de grupos de indivíduos com o único fim de lutar contra outros. É "socializado" nas equipes esportivas (luta, futebol) e em certos grupos profissionais (polícia, exército, grupos de caçadores, etc.).

9) Os *metamotivos* ou *motivos transpessoais* são talvez os mais poderosos e no entanto os mais ignorados pelas organizações modernas. Trata-se dos grandes ideais da humanidade contidos em valores tais como verdade, justiça, beleza, integridade, simplicidade, totalidade, alegria, perfeição, honestidade, transcendência, paz, amor.

Observa-se, por exemplo, que filmes ou peças de teatro que contêm estes valores no seu *script* são justamente os que alcançam recorde de bilheteria. Assim também as organizações que cultivam estes valores em relação ao público interno e externo são as que maior êxito conseguem; os dirigentes que os cultivam em si mesmos são os mais seguidos; os funcionários ou empregados que deles vivem imbuídos jamais são dispensados, pois fazem do seu trabalho uma verdadeira missão, vivem em paz e transmitem esta paz aos outros.

É claro que estes valores têm que ser aplicados com sinceridade absoluta; se forem apenas objetos de representação, máscara para manipulação das pessoas, um dia ou outro serão descobertos. Mais do que nunca se aplica neste caso a famosa afirmação de Bernard Shaw: "Podes enganar a um, todo o tempo; podes enganar a alguns, algum tempo; mas não podes enganar a todos, todo o tempo".

Temos, desenvolvidos dentro de nós, todos estes instintos, ou tendências, ou vários deles, dosados harmonicamente ou com predominância de algum, de acordo com o temperamento individual e a educação recebida. Neles está fixada a razão de nossa atividade diária, dela podendo originar-se trabalho construtivo ou destrutivo. Um indivíduo, por exemplo, pode fazer parte de uma equipe de policiais, levado pelo prestígio do uniforme ou por ter ocasiões de entrar em combate, ou então para ver seu nome citado nos jornais. Uma enfermeira se interessará pela sua profissão, ou para ganhar dinheiro, ou pelo desejo de se casar com um médico, ou pelo instinto maternal, ou pelo prestígio que oferece uma profissão auxiliar da medicina, ou por necessidade de contato social, ou ainda por interesse em combater certo tipo de doença.

Num trabalho social, estes instintos, quando mal aproveitados, podem desintegrar a própria equipe. A ambição, aliada a forte instinto combativo, arrisca a criar rivalidades prejudiciais, no caso de dois indivíduos pretenderem disputar o mesmo cargo. Diferentes mulheres, trabalhando sob a direção do mesmo chefe, podem, consciente ou inconscientemente, vir a se odiar, tendo o ciúme por origem, travando luta velada entre si, procurando cada uma se aproximar o mais possível do chefe.

Os componentes de qualquer equipe de trabalho devem ter em mente que, atrás dos contados entre indivíduos, enfrentam-se instintos muito potentes, primitivos como os desencadeados no tempo dos trogloditas, e que podem, hoje em dia, quando inteligentemente canalizados, tornar harmonioso o trabalho em grupo, e, por conseguinte, produtivo.

Como dissemos inicialmente, quando prejudicado o trabalho em equipe, baixa o rendimento até parar a produção.

Cabe ao líder reconhecer, harmonizar e aproveitar esses instintos, a fim de que o rendimento do grupo seja o máximo, graças à criação de ambiente de amizade, de ajuda recíproca e de compreensão mútua.

Por este fato, o líder, dentre os indivíduos componentes da equipe, é o que necessita de estudo muito especial.

4. "Os 10 mandamentos de um membro de grupo"

1º) Respeitar o próximo como ser humano.

2º) Evitar cortar a palavra a quem fala; esperar a sua vez.

3º) Controlar as suas reações agressivas, evitando ser indelicado ou mesmo irônico.

4º) Evitar o "pular" por cima de seu chefe imediato; quando o fizer, dar uma explicação.

5º) Procurar conhecer melhor os membros do seu grupo, a fim de compreendê-los e de se adaptar à personalidade de cada um.

6º) Evitar o tomar a responsabilidade atribuída a outro, a não ser a pedido deste ou em caso de emergência.

7º) Procurar a causa das suas antipatias, a fim de vencê-las.

8º) Estar sempre sorridente.

9º) Procurar definir bem o sentido das palavras no caso de discussões em grupo, para evitar mal-entendidos.

10º) Ser modesto nas discussões; pensar que talvez o outro tenha razão e, se não, procurar compreender-lhe as razões.

4

Como participar de um grupo de trabalho

Viver com os outros nem sempre é coisa fácil. Mais difícil, ainda, é trabalhar com pessoas estranhas, em contato quase diário, sobretudo quando não estamos preparados para isto. Na maioria das vezes, os jovens recém-saídos das escolas ingressam no ambiente de trabalho, seja no escritório ou na usina, sem que lhes fosse informado sobre como se conduzirem com os colegas.

Que fazer quando chega um novo colega? Que deve fazer o novo trabalhador para se tornar logo amigo de todos? Como ser promovido? Em caso de briga, divergência, que fazer e como evitar conflitos? São estes e outros problemas que iremos tratar a seguir.

1. Conheça a sua empresa

Certa vez um operário perdeu o emprego porque foi surpreendido fazendo suas refeições, em pleno laboratório, na hora do almoço, o que era contra o regulamento da casa, cujos dirigentes consideravam perigosa a presença de pessoas no mesmo, sem a necessária vigilância junto de produtos inflamáveis; regulamento este que o empregado desconhecia por completo. Todavia, se no momento da admissão o tivesse lido, tal fato não ocorreria. Este exemplo nos mostra como é importante conhecer o regimento interno da organização na qual se trabalha. Muitos casos desagradáveis podem ser evitados quando, além do regulamento, se conheçam, também, as funções exercidas por cada uma das pessoas. Eis, por exemplo, uma situação muito frequente: um empregado, em determinada firma, recebe ordem de alguém, que só conhece de vista, para executar um trabalho e responde que não o poderá atender, porquanto desconhece que o mesmo tenha autoridade para tanto. A outra pessoa, indignada, manda-o suspender por quinze dias: era o superintendente da companhia!

2. Conheça os seus chefes

Não basta somente ser ciente da função de cada uma das pessoas da empresa, é indispensável conhecer o temperamento do seu chefe. Existem chefes de toda natureza, uns se revelam meigos, pacientes, compreensivos, humanos; outros, no entanto, nervosos, irascíveis, coléricos

e impacientes, mas, em muitos casos, boas pessoas; outros chefes são extremamente reservados, não se dirigindo com frequência aos seus auxiliares, exceto quando se refere às necessidades que o trabalho requer.

Com o primeiro tipo de chefe não há praticamente problemas; com o chefe nervoso, muito cuidado não será demasiado. Submeter-lhe qualquer assunto, no momento de uma tensão nervosa, resultará num fracasso quase certo. O melhor é esperar o "momento psicológico"; foi o que fez um trabalhador que precisava de mais um auxiliar para limpeza de suas máquinas. Na ocasião em que se encaminhava para o escritório do mesmo, a fim de fazer seu pedido, ouviu os gritos de impaciência deste; em vez de prosseguir no seu intuito, retirou-se precipitadamente e esperou. No dia seguinte o chefe acedeu, com sorriso nos lábios, aos seus desejos.

3. Conheça os seus colegas

O mesmo acontece com os colegas; nada como conhecê-los para compreendê-los e ser mais tolerante quando, um dia ou outro, mostram-se diferentes do costume. Nunca devemos esquecer que a vida dos nossos colegas,

como a nossa, também não se limita só ao trabalho. Estamos influenciados na conduta diária pelos parentes, pela esposa ou marido, pelas crianças, pela temperatura, pela nossa saúde, pelos nossos problemas econômicos, etc. O mau humor tem sempre uma razão. Muitas pessoas quando encontram um colega mal-humorado quase sempre pensam que foram a causa desse mau humor, mas, na realidade, não tiveram nenhuma relação com esse estado de espírito; quantas inimizades se formaram assim!

Há, também, certos indivíduos que têm a tendência de emprestar aos outros intenções que nunca tiveram. Foi o que aconteceu em uma empresa, onde dois colegas entraram em conflito tal, que passaram meses e meses sem se falarem. Durante a doença do primeiro, o segundo, com o objetivo de ajudar o primeiro a evitar acúmulo de serviço, fez a metade do trabalho do outro; este, quando voltou, ficou furioso, acusando o colega de "querer fazer cartaz", a fim de tomar seu lugar, ganhando, assim, mais dinheiro. Os conflitos entre pessoas, geralmente, provêm de situações análogas, nas quais emprestamos a outrem intenções ou sentimentos que nunca tiveram.

4. Conheça a si mesmo

Antes de culparmos os outros, numa situação conflitiva, é recomendável analisar-se com o cuidado necessário, a fim de verificar se a causa do atrito não provém de nosso próprio temperamento ou da nossa formação. O exemplo precedente, referente ao fato de acusar outrem de coisas que não fez, é sinal de uma natureza desconfiada; quem possui esta característica e sabe reconhecê-la deverá desconfiar, antes de tudo, de si mesmo.

O mais difícil é justamente conhecer a si mesmo; para isto é indispensável muita sinceridade, pois temos tendência a só procurar nossas qualidades e estarmos convencidos de que os outros é que erram; quantas vezes vemos a palha no olho do vizinho, mas não enxergamos o tijolo que está no nosso!

Por que estou sentindo isto? Por que estou agindo assim? Por que não gosto de João ou de Pedro? Por que estou aborrecido hoje?

É respondendo a estas perguntas com sinceridade e franqueza que podemos evitar muitos problemas para nós mesmos e para os outros.

Este reconhecimento de si mesmo abrange vários aspectos da nossa personalidade:

1º) *A nossa capacidade intelectual.* A nossa inteligência, isto é, a nossa capacidade de resolver problemas, alcança seu maior grau de desenvolvimento na puberdade. É interessante o adulto conhecer seu próprio nível mental, pois do grau de inteligência depende, em grande parte, o êxito na vida profissional. Existem pessoas que se julgam mais inteligentes e não têm consciência disto. Em vista desses dois tipos de personalidade encontramos, no primeiro caso, as que terão vontade de ocupar cargos acima de sua capacidade intelectual, sendo, assim, eternos insatisfeitos, além de causar aborrecimentos a outrem pelas suas tarefas ineficientes ou tomando, algumas vezes, providências inoportunas. No segundo, dá-se justamente o inverso: a criatura, vítima de complexo de inferioridade, exerce atividades muito aquém de suas aptidões.

2º) *A nossa cultura.* Em função de nossa inteligência, podemos verificar se ainda temos possibilidade de progredir na vida ou de estudar mais. Conheço diversas pessoas que, após terem descoberto por meio de testes intelectuais que eram mais inteligentes do que realmente pensavam, estudaram e conseguiram, por esta razão, alcançar postos de direção, situação anteriormente nunca imaginada pelas mesmas.

3º) *As nossas aspirações.* Todo ser normal sente o desejo de alcançar certos objetivos na vida. Por esse motivo, uns preferem ser músicos, outros radiotécnicos, mecânicos, engenheiros, professores, marceneiros, militares, etc. Para os que não conseguiram o seu objetivo, a distância entre o que querem ser e o que são realmente pode dar origem a muitos aborrecimentos. Quando a distância

é maior, não havendo capacidade e nem meios suficientes para alcançar o que se quer, então surgem estados de insatisfação que são manifestados com os colegas e superiores em atitudes de pedantismo, de superioridade, ou de perpétua rebeldia.

4º) *Os nossos interesses.* O mesmo pode acontecer com os nossos interesses; cada indivíduo tem interesses e gostos diferentes dos de outro; uns gostam de mecânica, de agricultura, de lidar com pessoas ou de calcular; outros preferem atividades movimentadas, aventuras, lidar com crianças ou com velhos ou, ainda, gostam de negócios. Está comprovado que uma das maiores fontes de insatisfação profissional e de mau rendimento é a falta de interesse;

uma pessoa que não tem inclinação para as atividades movimentadas e por uma casualidade qualquer vai exercê-las, ficará insatisfeita, advindo, por conseguinte, uma revolta contra os outros ou contra si mesma.

5º) *O nosso temperamento e o nosso caráter.* Temperamento e caráter, em relações humanas, são fatores essenciais, explicando muitas de nossas reações em relação a outrem. Por esta razão, é importante sabermos se somos tímidos, introvertidos, reservados ou se, pelo contrário, somos sociáveis, amáveis, serviçais e afetivos, ou, ainda, agressivos, combativos, enérgicos e autoritários. Existem pessoas que reúnem todos esses temperamentos, dependendo, apenas, das circunstâncias e do momento.

A ajuda do psicólogo no conhecimento de si mesmo é de grande utilidade; por isso, se o leitor tiver a sorte de co-

nhecer um psicólogo na sua empresa, será vantajoso ir procurá-lo a fim de saber do seu perfil psicológico. O conhecimento do perfil psicológico tem grande influência sobre o rendimento do trabalho e nas relações com os colegas. Saber, por exemplo, que possuímos um temperamento briguento, nos acautelará no trato com os outros; descobrir a nossa capacidade para calcular dar-nos-á maior confiança no momento de utilizar esta aptidão.

5. Como ser promovido

Nada melhor, para o progresso de nossa vida profissional, que fazermos a autocrítica de nós mesmos. Quando isto ocorre, e a empresa em que trabalhamos está bem organizada e o empregado colocado de acordo com suas aptidões e interesses, então o entusiasmo e a eficiência

são maiores, dando margem, assim, para que os mestres ou diretores deem todas as oportunidades de melhoria salarial ou promoção na hierarquia.

Também é estudando e esforçando-nos que conseguimos vencer na vida.

Com o progresso de nossos dias, qualquer assunto, qualquer atividade profissional, já foi estudada por milhares de especialistas. Existem, atualmente, livros sobre as técnicas de quase todas as profissões. O estudo destes livros capacita-nos ao rendimento pessoal melhor, e, muitas vezes, traz para a empresa novas ideias ou iniciativas inéditas, de tal ordem que provocam a admiração dos superiores pelo empregado estudioso.

Quando o empregado possui este espírito empreendedor, certamente se evidenciará mais nas reuniões de sua equipe de trabalho.

6. Como participar de uma reunião

Muitos chefes ou mestres, a fim de permitir a cada um dos seus empregados emitir opiniões sobre o trabalho da semana ou da quinzena passada, ou mesmo de resol-

ver melhor os problemas de trabalho, reúnem, periodicamente, os seus empregados. Saber participar de uma reunião não é coisa tão fácil como parece à primeira vista. Por isso, citaremos, a seguir, a adaptação feita por José Arthur Rios de sugestões do Departamento Norte-Americano da Agricultura para os membros de um grupo de discussões:

1) *Fale francamente.* A reunião pertence aos participantes. Diga o que pensa. As ideias de cada um sobre o assunto valem o que valem as de todos os demais, isto é, são extremamente importantes.

2) *Ouça cuidadosamente o que os outros dizem.* Procure compreender os outros, mesmo que discorde do que estão dizendo. Procure compreender quais os motivos que os levam a fazer tal ou qual afirmação.

3) *Fique sentado durante todo o tempo.* Orientador ou participante, nunca fale de pé.

4) *Nunca interrompa quem estiver com a palavra.* Espere que o outro termine seu pensamento.

5) *Não monopolize a discussão.* Fale pouco. Fale coisas que tenham realmente importância. Se a discussão esmorecer, faça perguntas que despertem novo interesse.

6) *Não fuja da discussão.* Não fique calado, apático ou indiferente. Se não entender alguma coisa, pergunte. Peça exemplos, fatos, casos concretos. Formule suas dúvidas. Procure analisar, à luz da sua experiência, o que houve.

7) *Se discorda de alguma coisa, diga.* Faça-o com naturalidade, sem ênfase, com bom humor.

8) *Não deixe sua observação para depois.* Fale logo que sentir a necessidade de esclarecer algum ponto obscuro ou de contribuir com sua experiência. Não espere que o líder lhe peça para falar. Se muitas pessoas quiserem falar ao mesmo tempo, levante o braço e aguarde que o líder lhe dê a palavra.

9) *Traga perguntas para a reunião.* Traga material para o debate. Escreva notas, pontos que não compreende bem do assunto, artigos de jornal, opiniões com que concorda ou discorda, afirmações que ouviu no rádio, em conversa, numa conferência, etc.

10) *Leve os problemas do grupo para casa.* Estude-os. Reflita sobre eles. A discussão é a primeira etapa de um

longo processo educacional que deve terminar no foro íntimo de cada um, pela reflexão sobre o que foi dito, pela elaboração de um ponto de vista pessoal sobre os problemas tratados[1].

7. Saber calar e saber falar

A linguagem é a arma mais poderosa e mais eficiente que o homem possui. É com a palavra que nos comunicamos com o próximo. Uma palavra pode agradar, ferir, convencer, estimular, entristecer, instruir, enganar, louvar, criticar ou aborrecer as pessoas a quem for dirigida. É com a mesma que o trabalhador se comunica com os colegas. É por seu intermédio, também, que recebe instruções dos seus superiores. A linguagem é o instrumento essencial das relações humanas. Na comunicação entre as pessoas é tão importante quanto a enxada para o lavrador ou o torno para o mecânico.

Se ela é tão importante, convém cercá-la de todos os cuidados possíveis, isto é, cada um deveria aprender a servir-se dela para melhorar as relações entre as pessoas, o que não consiste em saber falar bem o português, mas, sim, saber falar no momento oportuno, utilizando os termos adequados à situação e o tom de voz à altura do que se pretende obter. Desejando-se de um colega o empréstimo de um martelo, dever-se-á procurar alcançar esse objetivo de várias formas: "Dá-me o martelo" será uma ordem; "Quer-me fazer um favor, empreste-me o martelo" é um pedido; "Eu estou sem martelo, o que será que vou fazer?" é uma forma de colocar o problema na mão do colega e obter que ele mesmo tome a resolução de ajudá-lo sem que se lhe tenha pedido nada. Estas três formas poderão ser expressas em tons de voz bem diferentes. "Dê-me o martelo" dito sob forma de pedido choroso não terá

---

1. *Suggestions for group discussion leaders and Suggestions for group discussion members*. Departamento de Agricultura. Washington, 1949 [Adap. por José Arthur Rios].

mais características de uma ordem, mas, sim, de um pedido premente, enquanto que "empreste-me o martelo, por favor", pronunciado com tom de voz irritado e colérico, anulará o "por favor" e tomará as características de uma ordem.

Aprender a se servir da linguagem consiste, também, em saber calar quando for preciso. "A palavra é de prata, o silêncio é de ouro", dizia um velho provérbio. O silêncio é de grande utilidade, sobretudo nas seguintes circunstâncias:

1º) Quando uma pessoa está numa reunião e o assunto foge completamente à sua especialidade e, além disto, há técnicos e entendidos na matéria em discussão, o melhor é ouvir para aprender mais, ou então inquirir quando não se entendeu algo.

2º) Quando uma pessoa tem um temperamento hiperagressivo e colérico e está pronta a dizer algo que vai ferir profundamente outrem, neste caso, é melhor girar a língua na boca até passar a crise de raiva; convém desabafar depois em esportes, trabalhos manuais, para evitar descarregar a tensão na família.

3º) Quando a pessoa quer ouvir os outros para formar uma opinião a respeito do assunto a tratar, além de emitir opinião mais valiosa.

É muito mais fácil falar do que calar. Calar necessita grande capacidade do controle de si mesmo, capacidade que iremos analisar a seguir.

8. O controle de si mesmo

Há quem afirme que não devemos recalcar nossos desejos e vontades, pois o recalque provocaria uma série de doenças nervosas. Isto, entretanto, não acontece, levando-se em conta que desde nossa infância nos acostumamos a recalcá-los. Tão habituados estamos, que nem mais o notamos. Assim não fosse estaríamos incorrendo nas coisas mais absurdas, tais como: matar a todo instante pessoas que nos aborreçam, roubar nas lojas tudo que nos agrada, etc. Só não o fazemos por causa deste controle que já possuímos desde a mais tenra idade. Na verdade, existem pessoas que conseguem dominar suas pai-

xões melhor do que outras; é a estas últimas que convém conhecer sua própria natureza, a fim de poder dominá-las. Particularmente aos que se irritam facilmente, perden-

do a calma por um nada, é recomendável, em primeiro lugar, fazer um exame médico, para verificar se sua falta de controle não tem origem orgânica; se não for o caso, é

possível que esportes violentos, como luta de boxe ou futebol, permitam "canalizar" a agressividade fora das relações de trabalho.

Para muitos o controle de si mesmo é difícil inicialmente, mas, aos poucos, torna-se um hábito, muito útil para melhorar as relações humanas.

5

Como dirigir um grupo de pessoas?

Muitos ainda pensam que basta ter o título de diretor, de chefe ou de mestre para que isto dê um prestígio tal, que todo o grupo vai obedecer, automaticamente, à pessoa que dirige, simplesmente por ter sido investida de "autoridade".

Para se ter realmente autoridade é necessário, para a pessoa que dirige, não ter somente uma série de qualidades, mas ainda ter aprendido o ofício da direção. Muitas pessoas levam dezenas de anos para tomar consciência de que certas atitudes não as levam ao êxito na direção, enquanto que outras conseguem dirigir bem quando estão perto de sua aposentadoria. Ora, é justamente isto que queremos evitar ao leitor. Não será melhor aproveitar os erros dos outros do que esperar ser velho para saber dirigir, assimilando logo na mocidade os princípios elementares que presidem a boa direção?

São estes conhecimentos que iremos abordar agora.

1. A necessidade da direção

É fato observável por todos que qualquer grupo social precisa ser dirigido por pessoa que o guie para atingir os objetivos comuns ou satisfazer os interesses dos seus membros. A procura de um líder por grupo recém-formado é quase ato reflexo, o qual tem raízes muito profundas. Desde os tempos mais remotos da tribo primitiva, os homens tiveram chefes; além disto, desde o nascimento, a criança está acostumada a obedecer aos pais e aos professores, até acabar os estudos, efetuando-se uma simples transferência da autoridade pedagógica à autoridade de grupo; as pessoas, em grande maioria, estão, aliás, tão acostumadas a ser dirigidas, que se sentem desajustadas quando têm de tomar decisões, apesar de se considerarem independentes, por serem adultas; elas são apenas pseudo-autônomas; as pessoas que têm autonomia real são, relativamente, poucas; e são mais frequentes entre os dirigentes que entre os dirigidos.

A procura de maior autonomia, de maior liberdade, é a motivação profunda do homem e da sociedade. A sua dependência às autoridades chamadas também de alienação ou heteronomia é o que constitui a maior doença social dos nossos tempos.

Fazer evoluir o homem, para fazê-lo passar de autômato a homem consciente de suas responsabilidades e da sua posição no mundo, é tarefa primordial do dirigente.

Além da necessidade psicológica que os indivíduos e os grupos sentem de ser dirigidos, existe também uma razão propriamente administrativa e racional: na consecução dos objetivos comuns aos grupos, são necessárias, dentro da divisão de trabalho, pessoas que distribuam as responsabilidades em função das características individuais; que coordenem os esforços dos indivíduos e determinem o melhor caminho a seguir.

Dentro de qualquer grupo social, o líder é a peça-mestra, catalisadora das energias individuais. Deve-se, por conseguinte, dar atenção toda especial aos dirigentes, quando se quer criar, modificar ou aperfeiçoar uma coletividade, seja nação, empresa, associação ou turma de alunos. Deve-se tomar cuidado, não somente na sua escolha, mas também na sua formação e no seu aperfeiçoamento.

Em caso de emergência, é mais interessante e racional ter um Estado-Maior bem preparado e todos os soldados bem treinados. Com efeito, o Estado-Maior prepara os soldados em pouco tempo, mas os soldados não treinarão um Estado-Maior.

Mas, para poder formar os futuros dirigentes, é preciso descobri-los o mais cedo possível, para o que é necessário organizar um sistema de seleção que permita, dentro de um grupo qualquer, reconhecer os futuros líderes. A psicotécnica presta grande auxílio neste sentido.

2. *Que é um líder?*

Depois de termos estudado[2] as definições de diferentes autores sobre as expressões "líder" e "liderança", chegamos à conclusão de que:

> Líder é todo o indivíduo que, graças à sua personalidade, dirige um grupo social, com a participação espontânea dos seus membros.

Qualquer indivíduo só poderá ser considerado como líder se, pela sua personalidade:

1º) dirige um grupo social; e

2º) tem a participação espontânea do grupo.

Exemplificando: Numerosos ministros ou chefes de Estado foram líderes porque, no início de suas chefias, dirigiram com o consentimento dos grupos. Deixaram de ser líderes, à medida que crescia a oposição.

---

2. Trabalho feito no Senac, com a colaboração de Otacílio Rainho, Dinah Fineberg e Theolindo Cerqueira (cf. tb. a bibliografia).

Os chefes, diretores, presidentes, supervisores, professores, gerentes, dirigem, mas não são líderes enquanto não obtêm a participação espontânea do grupo.

Vice-versa, indivíduos que pela sua personalidade podem obter a participação espontânea do grupo são apenas líderes virtuais e só se tornam líderes reais quando dirigem.

Muitas vezes, um indivíduo torna-se líder porque tem a personalidade necessária para uma situação particular de liderança; é o "homem da situação" muito frequente na política. Além da "situação", são as características do grupo e o meio ambiente que determinam o tipo de líder desejado.

O líder pode ser "estímulo" para o grupo ou pode ser "reação" ao grupo, e, na maioria dos casos, os dois.

Os estudos de psicologia da aprendizagem mostram que os indivíduos rendem muito mais quando interessados. E o líder sabe interessar os membros do seu grupo. A produtividade de um grupo nessas condições é sempre maior que a de um grupo dirigido por um chefe ou diretor, mas não líder.

Eis a diferença: O chefe se contenta com tarefas; o líder consegue entusiasmo, interesse pelo trabalho e cooperação.

3. O triângulo da direção

Todo o mundo sabe que há várias maneiras de dirigir, sendo que se podem distinguir três tipos principais de direção, que são os seguintes:

a) a *direção autocrática* ou *ditatorial*;

b) a *direção* laissez-faire ou *deixa como está para ver como é que fica*;

c) a *direção-liderada* ou *liderança*.

Podemos representar estes três tipos de direção num triângulo, em cujos ângulos se situam estas três maneiras de agir na direção. Estão muito bem colocados nas

três extremidades do triângulo, pois são atitudes completamente opostas, como veremos a seguir:

1) *A direção autocrática.* O ditador não se importa em saber o que seus subordinados pensam. Ele os trata como simples lacaios, dando ordens que devem ser cumpridas

sem discussão; faça isto, faça aquilo; é o lema do diretor. É em geral uma pessoa irritável, brutal, colérica, egoísta e incapaz de compreender os outros. Não tem, aliás, nenhum interesse para isto. Muitas vezes trata os outros assim, porque ele mesmo foi criado de maneira ditatorial e reproduz, inconscientemente, a atitude de seus próprios educadores, ou, pelo contrário, foi criado com mimo excessivo e acostumado desde cedo a mandar em todos, inclusive em seus próprios pais.

O dirigente autocrático provoca, em geral, revolta nas pessoas que ele dirige, ou, então, uma passividade completa que se pode resumir da seguinte maneira: "É melhor fazer o que ele quer, mesmo se eu achar que ele vai levar o empreendimento ao fracasso; não adianta discutir; a culpa será dele e não minha; também não vou fazer um pingo a mais do que ele me ordenar".

2) *A direção "laissez-faire"*. *Laissez-faire* em português quer dizer *deixar de fazer*. O lema deste grupo de dirigentes é: "deixar como está para ver como é que fica".

Em geral o dirigente desse tipo é uma pessoa muito insegura, que tem receio de assumir responsabilidades. Ao contrário do outro que dava ordens, este não dá instrução nenhuma, cada um de seus auxiliares faz o que quer e como bem entende. Na divisão do trabalho, na repartição das responsabilidades, a

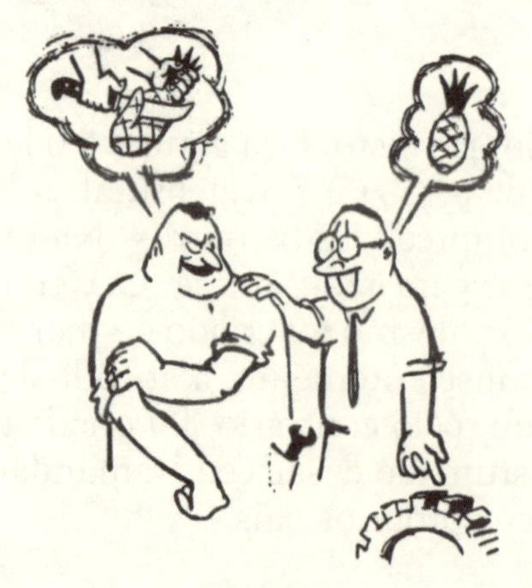

confusão é completa. A sua direção gera atritos e desorganização entre seus funcionários.

3) *A direção-liderada ou liderança.* A liderança é a direção na qual se procura concentrar toda a atenção sobre as atitudes e interesses dos subordinados que não são tratados como simples auxiliares, mas, sim, como colaboradores.

O líder é a pessoa que procura dirigir com a cooperação, a participação espontânea e a boa vontade das pessoas que ele dirige. O líder não diz: "faça isso, faça aquilo", mas, sim, "é preciso fazer isto, quer-me fazer um favor, nós temos necessidade de levar este trabalho para a frente", etc.

O líder considera o grupo mais capacitado em resolver os problemas do que ele sozinho. Respeita o homem e crê

nele. Consegue a cooperação do grupo, pela sua competência, paciência, tolerância e honestidade de propósitos. Não dá ordens; dá o exemplo, estimulando, em vez de ralhar.

Toda a sua atenção está concentrada sobre o que o pessoal pensa; ele sabe obter o máximo de produtividade através do máximo de boa vontade.

O líder consegue, graças a dois fatores principais, que são: a sua personalidade e a sua técnica de liderar, aspectos que estudaremos a seguir.

4. Outros tipos de chefe

Existem outros tipos de chefe. Podemos caracterizá-los da seguinte forma:

1) *O chefe maquiavélico.* Utiliza-se de intrigas; nunca reúne os membros do grupo para trocar ideias; mas conversa em particular com cada um deles. É mestre em "cochicho".

Utiliza-se dos seus subordinados como bonecos. Muitas vezes, propositadamente, organiza ódios entre os com-

ponentes do grupo, aplicando a fórmula: "Dividir para reinar". Em geral, os membros da coletividade que dirige acabam por descobrir-lhe o jogo.

2) *O chefe vaidoso e ambicioso.* Torna-se chefe por causa do título e do prestígio que lhe dá a sua profissão; não consegue ser imparcial, pois tem tendência a favorecer os que o bajulam.

3) *O chefe "instável".* Seus subordinados não conseguem seguir as suas instruções, pois ele muda de ideia e

dá instruções diferentes ou contrárias, enquanto ainda estão executando as primeiras ordens. Mostra-se interessado por tantos assuntos ao mesmo tempo, que não consegue aprofundar-se em nenhum.

4) *O chefe paternalista.* Como o nome indica, é o chefe que tem com o seu pessoal um relacionamento de pai para filho; é o homem que usa a bondade para obter o que quer dos seus subordinados. Dá presentes de Natal, de aniversário, cuida especialmente do conforto do seu pessoal, esperando mais trabalho em retribuição. O raciocínio dele é: "Eu fui bom para você, então espero que você seja bom para mim".

5. *Equilíbrio do dirigente face ao ambiente de trabalho*

Enquanto o ditador provoca medo, revolta ou passividade, o líder consegue comunicar aos seus colaboradores equilíbrio, alegria em trabalhar e em cooperar, enfim, produtividade máxima. Grande parte disto provém de suas qualidades pessoais, as quais descrevemos da seguinte forma:

1) *Autocontrole.* O líder é uma pessoa que controla as suas reações, que vira a língua dez vezes na boca antes de emitir uma opinião de grande responsabilidade. Ele não

se deixa levar pelos seus impulsos; quando alguém fica malcriado com ele, procura, antes de tudo, compreender por que a pessoa, mesmo se for seu subordinado, mostra-se irritada.

2) *Empatia ou compreensão de outrem.* O líder procura estar sempre a par dos problemas de cada um e sabe

fechar os olhos, quando alguém, que costuma trabalhar com calma e alta produção, fica durante uma semana com baixa produção e denota irritação, simplesmente porque a sua esposa está doente ou porque tem dificuldades financeiras. Enfim, o líder procura antes de tudo compreender o ser humano, aproveitando as suas qualidades em benefício próprio e em benefício da coletividade.

3) *Procura da unanimidade.* Além disto, o líder procura sempre obter o acordo de todos, evitando apoiar-se

só na maioria, pois sabe que às vezes a minoria tem razão. Ele deixa a minoria ter sua oportunidade para conquistar a maioria; é o que acontece, por exemplo, quando se reúnem 20 engenheiros e 2 contadores para resolverem problema orçamentário. Se os 20 engenheiros chegam a uma conclusão errada, cabe ao líder dar aos contadores bastante força para convencer os engenheiros de que a realidade é diferente.

Por isto o líder reúne periodicamente os membros do grupo, discutindo francamente os assuntos, fazendo com que cada um se sinta responsável pelo seu setor e este-

ja convencido da sua utilidade e importância dentro da companhia.

Assim, eles sentem que fazem parte da direção e por isto cooperam ativamente.

4) *Dar o exemplo.* Entre as características pessoais do líder convém, ainda, lembrar que ele deve ter qualidades superiores à média do seu grupo, a fim de ser um exemplo. Para isto, o mestre que quer ser líder de mecânica tem de ser, de preferência, o melhor dos mecânicos. O que quer dirigir químicos, e ao mesmo tempo liderá-los, tem de entender muito mais de química do que o grupo; isto é necessário inclusive para poder transmitir novos conhecimentos aos colaboradores; neste sentido o líder é também educador.

5) *Atitude de respeito humano.* O líder respeita profundamente o ser humano. Trata-o com cortesia e delicadeza. É interessante notar que a atitude do líder tem uma importância fundamental no ambiente de trabalho e uma influência muito maior do que se pensa sobre as próprias atitudes de seus auxiliares, isto por várias razões.

A primeira está no fato de as pessoas imitarem, inconscientemente, os seus superiores. Dizem os psicanalistas que eles se identificam com os superiores. Outra razão se encontra no fenômeno que foi descoberto há uns dez anos pelos psicólogos sociais. Estes notaram que quando uma pessoa diz um desaforo a outra, e esta pessoa, por razões diversas, não retruca com desaforo idêntico, ela fica guardando isto dentro de si, quer dizer, fica

num estado de tensão tal que, na primeira oportunidade, terá de desabafar, de descarregar esta mesma tensão contra outra pessoa. Esta pessoa poderá ser um colega de trabalho, a esposa, o marido, os filhos, o jornaleiro da esquina, o motorneiro do bonde, o motorista do ônibus, etc. Este estado de tensão se transmite, então, de pessoa a pessoa como se fosse o vírus da gripe.

O leitor já deve estar entendendo onde queremos chegar. Se o dirigente estiver em estado de tensão e descarregá-la sob a forma de cólera, por exemplo, contra um de seus auxiliares, esta descarga será transmitida a toda a sua equipe de trabalho, por uma espécie de ressonância do desrespeito à pessoa humana.

Se, pelo contrário, o dirigente souber manter a calma, sua atitude de respeito humano se transmitirá da mesma forma a toda a equipe que dirige.

6) *Enfrentar as tensões e conflitos.* Relações humanas muitas vezes são confundidas com "panos quentes". Liderar, muito pelo contrário, consiste em criar tensões e não evitá-las. Cada vez que uma pessoa ou um grupo tem objetivos para alcançar, nasce, com este objetivo, uma tensão. Liderar pessoas consiste ao mesmo tempo em liderar tensões.

Quando surge um conflito entre pessoas, o líder costuma reunir estas pessoas para analisar as causas do conflito, e resolvê-lo, com a participação de todos os interessados; criou para isto um clima de franqueza e de compreensão mútua.

6. Como obter a cooperação dos dirigidos?

Já vimos que o líder procura, antes de tudo, compreender as pessoas. Para isto ele tem de sentir dois pontos essenciais que os empregados costumam esperar de seus chefes. São pontos que descreveremos a seguir:

1) *Recompensa do esforço.* A maioria das pessoas foi acostumada durante a infância a receber castigo e, só às vezes, a ver seu esforço recompensado. Falamos "às vezes" porque, infelizmente, todo o mundo procura os erros dos outros e castiga-os, mas muito mais raramente se procura as qualidades de cada um e se toma providência para que o esforço pessoal seja recompensado. Podemos, sem exagero, afirmar que estamos vivendo na civilização do castigo. Quem fala em castigo, fala em medo, culpabilidade e angústia; é esse o ambiente que encontramos, geralmente, nas empresas.

Ora, a pedagogia e a psicologia modernas ensinam que se castigo dá, "às vezes", resultado, o prêmio, a recompensa do esforço de cada um dá muito mais ainda. Não custa nada chamar um operário e dizer-lhe: "estou satisfeito com o seu trabalho!" Isto terá um grande significado para o trabalhador, que passa a perceber que seu esforço está sendo reconhecido. Com isto ele cooperará melhor.

2) *Salário justo.* Não adianta querer ser líder se não existe sistema de salário justo, e se há, por exemplo, pessoas com cinco anos de casa que percebem menos que os que entraram recentemente, ou se um trabalhador que produz 800 peças por hora ganha a mesma coisa que um trabalhador que só produz 200 no mesmo tempo.

3) *Promoção.* O trabalhador tem de sentir que há possibilidades de progredir dentro da empresa e de ser pro-

movido. Se ele sente que tem aptidões para ser promovido a um cargo de mestria e, sem mesmo tentar experimentá-lo neste cargo, em caso de vaga, contrata-se alguém de fora da empresa, este trabalhador sentir-se-á profundamente magoado e por isto mesmo baixará a sua produção.

4) *Compreensão.* O trabalhador quer ser tratado com paciência quando está por algum motivo impossibilitado de render como de costume. Ele quer que seu chefe compreenda que ele também é um ser humano que tem as suas preocupações, as suas dificuldades e as suas doenças. Ele será profundamente grato se o seu chefe ouvir suas razões e renderá o dobro no período sucessivo à melhora de saúde.

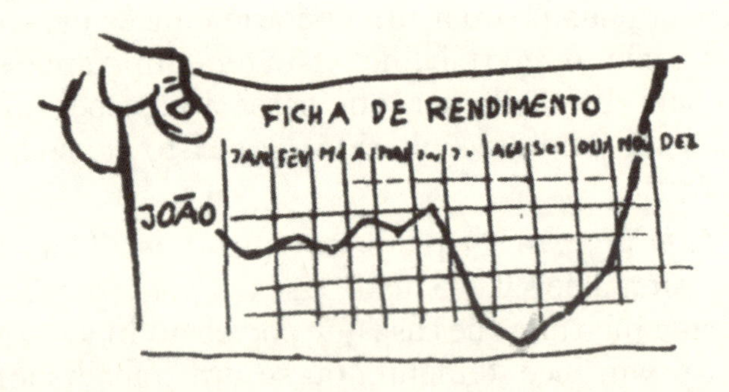

5) *Tratamento cortês.* Qualquer pessoa quer ser tratada com cortesia e corresponde muito mais ao que se espera dela se o seu dirigente observar as normas elementares de boas maneiras e de delicadeza, as quais, aliás, serão imitadas por todos.

6) *Sentimento de sua importância.* Sem o varredor, os escritórios e as oficinas ficariam uma imundície. É preciso que o varredor sinta que seus chefes estão reconhecendo a importância de seu trabalho. Os que lerem este trabalho poderão fazer a experiência; digam a um varredor que ele é importante, "que sem você isto ficaria uma sujeira", e vão ver através do brilho de seus olhos, de um sorriso, a sua satisfação e o seu agradecimento por se reconhecer-lhe o valor do trabalho.

7) *Respeito à posição de cada um.* Um gerente que dá ordens diretas a um subordinado de um chefe de sua equipe de direção está com isto desprestigiando a autoridade do mesmo, enfraquecendo a sua posição e arriscando-se a magoar um de seus colaboradores. Qualquer pessoa que, por motivo de emergência, tomar uma iniciativa que afeta a outra, deve dar-lhe satisfação.

8) *Participação consciente nos objetivos.* Fixando claramente os objetivos a alcançar, convidando os subordinados a estudarem juntos, periodicamente, como estes objetivos estão sendo alcançados, desperta-se nas pessoas uma das maiores motivações: o sentimento de ser útil.

7. *"Os 10 mandamentos do líder"*

1º) Respeitar o ser humano e crer nas suas possibilidades, que são imensas.

2º) Confiar no grupo, mais que em si mesmo.

3º) Evitar críticas a qualquer pessoa em público, procurando sempre elogiar, diante do grupo, os aspectos positivos de cada um.

4º) Estar sempre dando o exemplo, em vez de ficar criticando todo o tempo.

5º) Evitar dar ordens, procurando a cooperação de cada um.

6º) Dar a cada um o seu lugar, levando em consideração os seus gostos, interesses e aptidões pessoais.

7º) Evitar tomar, mesmo de maneira provisória, a iniciativa de uma responsabilidade que pertença a outrem, mesmo pensando que faria melhor; no caso de chefes que lhe são subordinados, evitar "passar por cima" deles.

8º) Consultar os membros do grupo, antes de tomar uma resolução importante, que envolva interesses comuns.

9º) Antes de agir, explicar aos membros do grupo o que vai fazer e por quê.

10º) Evitar tomar parte nas discussões, quando presidir uma reunião; guardar neutralidade absoluta, fazendo registrar, imparcialmente, as decisões do grupo.

6
Relações humanas entre os grupos

Anteriormente estudamos as relações humanas entre trabalhadores e entre os dirigentes e os dirigidos. Ficou amplamente demonstrada a importância do fator humano na produtividade e colocou-se em relevo que é tão importante, senão mais, ter numa empresa ou num escritório pessoas aptas e entusiasmadas para trabalhar em equipe de forma harmoniosa, como possuir máquinas e instalações perfeitas.

Não bastam, no entanto, boas relações entre as pessoas e entre os líderes e seus grupos para o empreendimento ser levado ao êxito: é imprescindível, ainda, os grupos se entenderem entre si, e isto é tanto mais verdade quanto a empresa é maior e que as equipes, seções, divisões, setores

são mais numerosos. Boas relações entre grupos não se improvisam, mas dependem de inúmeros fatores, que iremos analisar em primeiro lugar; digamos "em primeiro lugar" porque, se dentro das empresas é importante cuidar deste aspecto, temos de pensar também na empresa ou organização como uma coletividade, como um grupo maior que também tem as suas relações com outros grupos e outras coletividades. Estas relações podem tomar o caráter de colaboração e respeito mútuo, mas existem também organizações em conflito por concorrência, competição ou má interpretação das suas funções mútuas. A segunda parte deste capítulo será por conseguinte consagrada ao problema das relações humanas entre as organizações assistenciais e educacionais, passando-se a seguir ao exame de problemas específicos de empresas industriais.

A. Relações humanas entre equipes

A primeira preocupação dos bons gerentes e diretores de empresas é cuidar da organização racional das equipes de trabalho; se é verdade que, sem relações humanas, não há organização racional possível, o contrário também é verdadeiro; da má organização nasce a confusão nos espíritos, a má vontade, a desconfiança, tanto entre as pessoas como entre os grupos; entre as primeiras providências a tomar na organização de uma empresa figura a divisão clara e nítida das atribuições entre cada grupo de trabalho. É o que iremos examinar em primeiro lugar.

1. Divisão de trabalho entre as equipes

Certo dia o gerente de uma fábrica de peças de automóveis chamou um psicólogo industrial, aflito que estava por uma luta interna entre o pessoal do departamento de marketing e o do departamento de propaganda: os membros e o chefe do departamento de propaganda se queixavam de que o departamento de marketing estava entrando na seara alheia, pelo fato de fazer também serviços de propaganda; como defesa, o departamento de marketing alegava que era impossível vender dentro das normas de ética, pois o departamento de propaganda fazia, nos seus cartazes e anúncios de rádio, promessas além do que era verdadeiro, indo, ao que parecia, até a afirmar vantagens que a mercadoria não tinha; aconteciam então inúmeras reclamações de fregueses quanto ao enferrujamento da parte metálica de espelhos retrovisores anunciados como inoxidáveis.

É evidente que neste caso o departamento de marketing tinha tomado a si responsabilidade que não lhe cabia; este fato ilustra bem a necessidade de definir, claramente, as atribuições entre os diferentes serviços. No caso em mira, foi aconselhado ao gerente colocar por escrito essas atribuições e distribuí-las entre todas as pessoas.

Mas havia outro defeito na organização, que era a falta de coordenação entre os diferentes departamentos.

2. *Reuniões de coordenação entre os diferentes grupos*

Com efeito, se o gerente, de que acabamos de falar, tivesse reunido os dirigentes dos departamentos de venda, de *marketing* e de produção, ter-se-iam evitado os incidentes pelas seguintes razões:

a) O gerente teria exposto o problema do lançamento da venda do espelho.

b) O chefe do departamento de propaganda teria pedido as características exatas do espelho e teria sabido que não se podia, em virtude de insuficiências atuais da fabricação, garantir a resistência do material à ferrugem, mas que se podia insistir na pureza do vidro.

c) O chefe do departamento de venda teria sido informado de tudo isto e teria, em qualquer oportunidade, as informações necessárias para os fregueses, além de ter ocasião, em outra reunião, de trazer eventuais problemas surgidos com os representantes.

Reuniões periódicas são, por conseguinte, importantíssimas para a manutenção das boas relações entre os grupos; já indicamos como dirigir estas reuniões, a fim de torná-las mais proveitosas.

3. *O caso de grupos que se conheçam mutuamente*

Já vimos a influência do sociocentrismo como obstáculo ao bom entendimento entre os grupos; quando grupos que nunca trabalharam em comum, costuma surgir ainda maiores dificuldades que variam segundo diferentes fatores que iremos estudar a seguir:

1º) A idade do grupo tem papel importante; quanto mais velho for o grupo, maiores serão as precauções necessárias na aproximação de outro grupo; pode-se observar uma certa relutância em mudar os hábitos tomados, em aceitar a intromissão de opiniões ou ações alheias, enfim, o medo de encontrar-se diante de uma situação de frustração.

2º) A força e competência do grupo o torna mais ou menos autossuficiente, segundo a intensidade destas características; assim, por exemplo, um grupo que possui no seu seio indivíduos altamente qualificados para determinados trabalhos, poderá ter tendência ao orgulho grupal, ao egoísmo em relação aos outros grupos.

Também pode acontecer que o grupo esteja tão pouco preparado ou dotado, que fica, permanentemente, dependente de outros grupos, procurando ansiosamente ajuda e colaboração, sem, às vezes, pensar em melhorar o seu próprio nível.

3º) A ignorância da existência de outros grupos com objetivos idênticos aumenta o isolamento de certos agrupamentos, os quais perdem, assim, sem o saber, ótimas oportunidades de se desenvolverem e de se aperfeiçoarem. É o que acontece, por exemplo, com uma sociedade de filatelistas, que perde ótimas oportunidades de troca de selos por desconhecer a existência de outra sociedade na mesma cidade.

É justamente um dos papéis do serviço social provocar a aproximação dos grupos, educando-os a colaborarem entre si. Aos grupos mais idosos é necessário mostrar-lhes a importância da sua ajuda e colaboração no sentido de comunicar a sua experiência aos grupos mais recentemente criados; também será de grande utilidade fazer conhecerem-se entre si os grupos que nunca se encontraram; enfim, incentivar os grupos mais fracos a se aperfeiçoarem, é o serviço mais produtivo que se pode prestar à comunidade.

Convém não esquecer que é ainda extremamente difícil discriminar, em determinado grupo, se a sua ausência de contato com outros grupos é realmente fenômeno do próprio grupo ou se se deve incriminar o seu dirigente que influencia os seus membros no sentido do isolamento; fato é que os grupos que têm tendência a ajudar outros grupos ou convocar reuniões de intercâmbio de experiência num terreno de igualdade são em geral dirigidos por um líder, no sentido da palavra que já definimos anteriormente.

Outro assunto delicado que passaremos a estudar agora é o da fusão de dois grupos.

4. A fusão de dois grupos

Acontece que, em casos de reorganização interna de certas empresas, ou de encampação de uma empresa pela outra, há a necessidade de fundir um ou vários grupos entre si. Tais operações apresentam certos perigos, entre os quais o mais frequente é o medo e a angústia que invadem os membros dos grupos; este medo pode tomar várias formas, segundo o tipo do problema:

a) Medo de perder o lugar pelo necessário desaparecimento de cargos existentes simultaneamente nos dois grupos a fundir; é o que ocorre quando se procede à fusão de dois escritórios onde existem muitos digitadores [sic]; os profissionais de cada um dos escritórios ficam com medo de ser despedidos.

b) Medo de mudar de chefe e não se dar bem com o novo dirigente, sendo assim obrigado a pedir demissão.

c) Angústia geral provocada por mudança de ambiente, sem que haja causa definida, a não ser o temor do desconhecido.

É extremamente perigoso deixar desenvolver-se ou aparecer estes tipos de medo; com efeito, os indivíduos angustiados pela situação se tornam, automaticamente, inimigos de qualquer mudança.

É o que podia ter acontecido quando o Banco da Lavoura de Minas Gerais comprou e encampou o Banco Itajubá, em 1957, se seus dirigentes não tivessem tomado certas precauções, sabendo, de antemão, o perigo que correriam se não o fizessem. A operação de relações de trabalho foi tão bem organizada, que constitui exemplo *sui generis* no caso que estamos explanando. Por isto iremos, rapidamente, relatar o que tivemos oportunidade de assistir pessoalmente.

O fato de o Banco Itajubá ter sido encampado poderia vir a criar, entre os seus funcionários, clima de incerteza; entretanto, de repente todos receberam convite para comparecer à Convenção do Banco da Lavoura em Belo Horizonte; junto vinha o programa da reunião, no qual aparecia o nome do presidente do Banco Itajubá como um dos homenageados; ainda no programa figuravam dois banquetes.

Sempre me lembrarei do início da reunião, como estavam as fisionomias angustiadas, desconfiadas e tensas! Mas estas mesmas fisionomias, dos funcionários do Banco Itajubá, ao fim da Convenção, tinham mudado completamente, para um tom de alegria e camaradagem. Esta mudança foi devida a vários fatores:

1º) A diretoria do Banco da Lavoura compareceu ecom todos os seus membros, fazendo o seu presidente um histórico do banco, no qual colocava em relevo a tradição humanística da empresa e a preocupação do mais profundo respeito humano dos seus dirigentes.

2º) Cada um dos membros da diretoria fez uma palestra, colocando em relevo a segurança do banco, a sua posição e papel na economia do país e a importância da colaboração dos funcionários do Banco Itajubá. Estes, à medida que se desenvolvia a convenção, ficavam mais confiantes, desaparecendo aos poucos o clima de tensão.

3º) Durante o último banquete foram entregues aos mais antigos funcionários do Banco da Lavoura distintivos de ouro e brilhante, demonstrando este gesto que havia a tradição de recompensar o esforço dos que ficavam muito tempo no banco e que a preocupação dos dirigentes era o aproveitamento do elemento humano em função das suas aptidões e personalidade, fato que foi exposto em palestra especial.

O resultado desta operação, cuja finalidade foi demonstrar a honestidade de propósitos do grupo remanescente, foi a integração total dos funcionários do Banco Itajubá, que são hoje ótimos colaboradores do Banco da Lavoura. O mais importante é que este resultado foi conseguido sem que fosse necessário falar no problema central: o medo.

Este exemplo coloca também em relevo a necessidade de preparar grupos que nunca trabalharam juntos para uma ação em comum, evitando-se, assim, conflitos e sérias dificuldades.

5. *Dificuldades e conflitos entre grupos*

São várias as dificuldades que costumam surgir entre os grupos; existem, por exemplo, grupos que só procuram explorar os outros grupos, pedindo-lhes a colaboração, mas não respondem a um chamado idêntico; as relações só têm uma mão única; este caso se aproxima muito da situação do grupo que procura dominar o outro, absorvendo todas as suas energias e tempo.

Parece-nos que estas dificuldades poderiam ser evitadas se se escolhessem melhor os dirigentes dos grupos.

6. *Papel dos dirigentes nas relações entre as equipes*

Como já se pôde sentir, o bom entendimento entre os grupos depende das boas relações entre os seus dirigentes. Com efeito, não existem, dentro de uma mesma empresa, departamentos inteiramente independentes uns dos outros, mesmo numa organização perfeita e dentro da divisão de trabalho a mais racional; há sempre assuntos correlacionados de tal modo que, sem boa coordenação entre as equipes, o conjunto da obra pode fracassar. Esta coordenação se faz nas reuniões, conforme acabamos de demonstrar; entretanto, não depende apenas do gerente e da técnica de liderança de reuniões conseguir uma engrenagem perfeita entre os diversos setores de trabalho; na realidade, existem atitudes conscientes ou inconscientes de dirigentes que pode prejudicar a união de todos; vamos estudá-las a seguir:

a) O chefe considera o setor que dirige como um castelo a defender custe o que custar; está sempre procurando

evitar informar os seus colegas do que se está fazendo no seu departamento porque acha que isto é terreno privativo dele e que por conseguinte não interessa a ninguém.

b) O chefe provoca o espírito de competição e, por conseguinte, de rivalidade entre os componentes do time de direção, pela sua maneira de colocar em destaque o seu trabalho, e pelo seu hábito de compará-lo com o rendimento das outras equipes no sentido de depreciá-lo, o que provoca reações de ciúme e de irritação. Convém frisar que esta atitude se comunica facilmente aos membros da sua equipe, o que cria um espírito generalizado de rivalidade.

c) O chefe está inteiramente preocupado pelos assuntos que lhe são afetos e não procura compreender nem mesmo saber o que fazem os seus colegas; acha que fazer a sua tarefa é o suficiente. Não compreende que o seu departamento faz parte de um conjunto intimamente ligado e coerente; esta atitude tem conseqüências lamentáveis, por desencorajar a colaboração tão necessária.

d) O chefe está convencido de que o seu setor é o essencial, o único indispensável, e por isso procura obter providências contínuas no sentido da ampliação do seu departamento, com prejuízo dos outros, e que, evidentemente, a sua equipe não tem a importância que lhe é atribuída pelo seu dirigente.

Estas atitudes existem em geral em indivíduos egocêntricos, isto é, em pessoas que têm dificuldade de ajustamento ao ambiente e incapacidade de se colocarem no ponto de vista de outrem; o egocentrismo, fenômeno individual, existe também nos grupos e nas coletividades, sob o nome de sociocentrismo ou grupocentrismo.

7. *O "sociocentrismo"*

Existe uma tendência, quando uma equipe de trabalho já tem certa maturidade, a reagir em relação às outras equipes ou a qualquer situação como um só ser, mesmo se existem dissensões internas; assim, a equipe pode ter reações de satisfação pelos elogios recebidos pela sua produtividade, ou reações agressivas em relação a outro setor, por desconfiar das suas intenções em relação a algum ato considerado como ofensivo.

O sociocentrismo provoca mesmo a tendência de considerar os outros grupos como inferiores, desenvolvendo-se uma espécie de orgulho grupal, prejudicial ao bom entendimento entre as pessoas e favorecendo as rivalidades e ciúmes.

O sociocentrismo já é bem conhecido nos diferentes povos e faz com que muitas nações se julguem superiores a outras; isto aparece, sobretudo, quando da visita de uma pessoa a outra nação; não somente tem tendência a julgar tudo em relação ao seu próprio país, mas, ainda, a demonstrar que "na minha terra não se fazem as coisas assim".

O sociocentrismo existe da mesma forma nos grupos e coletividades menores e se forma também nas equipes de trabalho; é fenômeno natural, mas necessita ser controlado para evitar o seu desenvolvimento excessivo, pois é o germe da competição e da rivalidade. Já enumeramos algumas providências para evitar ou diminuir o sociocentrismo, sendo que a mais importante é a coordenação entre os dirigentes das equipes; outra medida interessante é a de promover, às vezes, quando em reuniões comuns a todos os departamentos, por ocasião de festas, atividades recreativas ou culturais; durante estas reuniões, os membros dos diferentes departamentos terão oportunidade de estreitar relações suficientes para diminuir o sociocentrismo ou evitar a sua formação.

B. A "ponte" administrativa entre os grupos

Por outro lado, maior a empresa e mais difícil se torna estabelecer a coordenação entre as equipes, só através dos seus dirigentes; numa empresa em que existam, por exemplo, departamentos, divisões, seções e setores, além dos contatos entre diretores de departamento, poderá haver uma ponte de ligações entre diretores de divisão ou dirigentes de seções ou setores nos assuntos para os quais não seria racional fazer perder o tempo dos diretores de departamento; por exemplo, se o setor de desenho da seção de planejamento da divisão de obras do departamento industrial precisar de uma caixa de tintas, poderá fazer o pedido direto ao setor de almoxarifado da seção de material da divisão de conservação dos bens do departamento administrativo; isto evitará perdas de

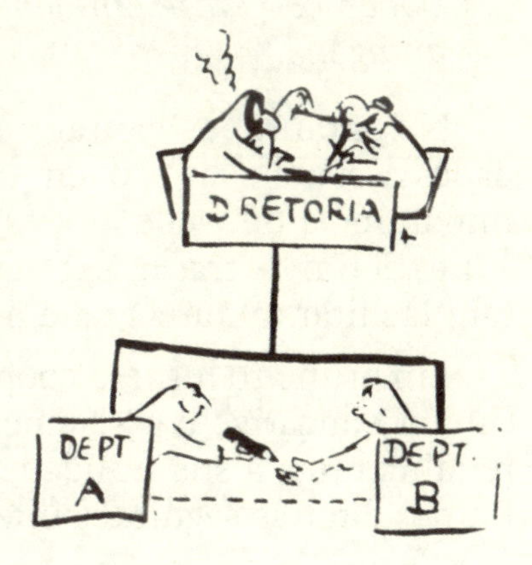

tempo; senão, teria de passar pela via hierárquica, o que representaria a passagem do pedido por nada mais que oito serviços diferentes.

C. Relações entre organizações assistenciais

Tudo o que dissemos em relação ao assunto no que se refere à organização interna das empresas, também se aplica a relações humanas entre organizações assistenciais e educacionais; as mesmas dificuldades podem surgir por causa de rivalidades provenientes de atribuições idênticas de instituições diferentes, de ausência de coordenação entre estas, da personalidade dos seus dirigentes e do sociocentrismo.

1. Cooperação entre entidades assistenciais e as suas vantagens

No entanto, as vantagens da cooperação entre entidades assistenciais são, em muitos campos, de tamanha importância que vale a pena nos aprofundarmos no assunto, a fim de traçar algumas normas gerais que permitam facilitar tal tarefa para os que a querem enfrentar.

Em primeiro lugar, a cooperação entre instituições de caráter educativo e assistencial permite aumentar o seu rendimento e a sua utilidade em muitos terrenos. Poderíamos citar as seguintes iniciativas:

a) Criação de serviços mistos para atender a determinados fins, tais como: cadastro de beneficiados visando a controlar pessoas que recebem benefícios de várias instituições, serviços de emprego, cursos de formação de pessoal técnico, etc.

b) Organização de comissões mistas encarregadas de estudar e propor soluções para problemas comuns. Por exemplo, o Sesi do Rio de Janeiro convocou uma comissão para estudo dos problemas de mão de obra (Copemo), da qual fazem parte o Sesc, Senai, Senac, MTPS e numerosas outras organizações ligadas a problemas de mão de obra.

c) Reuniões e seminários de diretores de várias instituições a fim de estudar problemas de interesse comum; assim, por exemplo, houve uma reunião Senac-Senai na Bahia, em 1957.

d) Convite a dirigentes de outras entidades para assistir, como observadores ou mesmo assessores, a reuniões e convenções de outras entidades congêneres.

e) Visitas mútuas dos dirigentes, a fim de trocar informações e conhecer melhor as experiências realizadas por outras entidades; estas visitas revelam-se proveitosas para todas as partes e só podem contribuir para melhorar os serviços prestados aos assistidos, o que é o essencial.

f) Estágios de técnicos, visando não somente aperfeiçoá-los, aumentando o seu campo de saber, mas ainda maior conhecimento das organizações congêneres, com o fim de melhor aproveitar os seus serviços.

2. Principais obstáculos psicossociais à cooperação entre as instituições

Já apontamos o sociocentrismo como causa principal do fracasso na colaboração entre os grupos; no caso específico das entidades assistenciais existem ainda outros fatores impedindo, muitas vezes, o desenvolvimento das boas relações.

Um dia, o diretor de uma das instituições assistenciais propôs ao seu superior hierárquico organizar uma reunião para troca de experiência com outra entidade de fins idênticos; a resposta não se fez esperar: "Para dar-lhe as nossas boas ideias: Nunca!" O medo de ser roubado e o desejo de guardar a primazia das boas iniciativas para si é provavelmente fator poderoso, impedindo melhor aproximação entre entidades assistenciais.

Outro tipo de medo pode ser a base da motivação contrária à cooperação; é o medo de ser absorvido pela outra entidade, decorrendo disto eventual perda de posição para o dirigente, ou uma diminuição do seu prestígio. Prejudica também tais iniciativas o receio de perder a liberdade de ação, pelo fato de certas decisões começarem a depender de outras entidades. Além do medo, a ambição pessoal de certos dirigentes, que procuram tirar partido de organizações mistas para satisfazer a sua ambição pessoal; nascem disto lutas pelo predomínio, geralmente iniciadas por demonstrações verbais de eficiência da organização que dirigem, dos resultados alcançados, etc.

Estas reações todas existem frequentemente, são humanas, porém podem ser evitadas ou contornadas, desde que se tomem certas precauções de valor verdadeiramente profilático:

a) Fixar claramente os objetivos que se têm em mira, a fim de evitar confusões quanto à finalidade da iniciativa.

b) Fazer um rodízio no que se refere aos postos-chave, a fim de impedir que os empreendimentos se tornem objeto de exploração de uma pessoa ou de um grupo.

c) Escolher um local neutro, impedindo assim interpretações errôneas das intenções dos patrocinadores; se isto não for possível, propor um rodízio para os lugares de reuniões, o que constitui forma elegante de obrigar os membros a tomar contato com o ambiente de todas as organizações que fazem parte da iniciativa.

d) Escolher os representantes das instituições de tal modo que sejam não somente técnicos no ramo a considerar, mas ainda pessoas de idoneidade indiscutível.

e) Dar a cada um dos representantes as mesmas oportunidades para opinar, falar e trazer a colaboração da sua entidade.

D. Relações humanas entre empresas industriais

É evidente que os terrenos de entendimento entre empresas industriais são menos numerosos do que os das instituições assistenciais e educacionais; no entanto, existem certos aspectos especiais em que um intercâmbio é imprescindível.

Iremos a seguir enumerar alguns aspectos em que podem ser estabelecidas relações entre indústrias, fora do campo de negócios propriamente dito:

a) Na troca de experiências quanto às instalações e maquinaria.

b) Nas informações sobre o pessoal na sua admissão.

c) Nas competições esportivas entre as equipes do pessoal de cada firma.

d) Na formação e treinamento de pessoal especializado; pode-se pensar em criação de centros de treinamento e estágios em várias indústrias.

e) Na criação de bibliotecas técnicas industriais, comuns a várias indústrias do mesmo ramo.

f) Na criação de serviços de laboratórios comuns destinados ao estudo de problemas específicos e idênticos a grupos de empresas do mesmo ramo; trata-se de laboratórios que, em virtude do seu alto custo, seria impossível serem construídos por uma só firma.

g) Em programas comuns de relações públicas e propaganda.

Conclusões. A organização das relações humanas entre os grupos é muito mais difícil que entre as pessoas; as forças em jogo só começaram a ser estudadas no início do século XIX.

Antes de procurar estreitar as relações entre dois grupos é indispensável pensar, na medida do possível, em todas essas forças que podem umas favorecer a cooperação, outras impedir ou mesmo destruí-la em caráter definitivo.

É preciso não esquecer, em trabalhos desta natureza, que qualquer mudança no terreno psicossocial, seja nos membros do grupo ou no grupo todo, tem a sua ressonância em todo o organismo; não existem órgãos inteiramente independentes. As atitudes das pessoas têm repercussões sobre o grupo e vice-versa, a cultura e as atitudes coletivas influenciam os indivíduos; por esta razão, não será demasiada toda a cautela nas relações humanas entre os grupos.

De outro lado, o desenvolvimento da cooperação entre os grupos, num plano de igualdade e num espírito de intercâmbio e de respeito mútuo, permite aumentar a produtividade de uma empresa, desenvolver o sentido democrático dos membros do grupo, incentivando-os a melhorarem cada vez mais a si mesmos e, ao mesmo tempo, a sua coletividade.

7
As comunicações

Nas relações humanas estamos a todo instante falando, gesticulando ou fazendo mímica para o nosso interlocutor; em suma, estamos estabelecendo comunicações.

Antigamente pensava-se que para se comunicar com alguém bastava lhe falar ou escrever ou ainda dar uma ordem para que esta fosse entendida, compreendida e executada; os estudos da psicologia social mais recentes têm demonstrado que, na realidade, as comunicações são sujeitas a distorções, deformações que fazem com que raramente uma mensagem seja recebida tal qual foi emitida; quantas vezes convocamos pessoas para uma reunião na quarta-feira e um ou outro membro comparece na quinta-feira!

Para estabelecer boas comunicações é preciso, em primeiro lugar, conhecer o mecanismo de uma comunicação. É o que vamos mostrar a seguir.

1. Esquema de uma comunicação

Quando João se dirige a Paulo falando-lhe, diz-se que João emitiu uma mensagem para Paulo. Usando a linguagem das telecomunicações, diz-se que João é o *emissor* e Paulo o *receptor* da mensagem. Esta é transmitida de ouvido a ouvido passando pelo ar; ouvidos e ar constituem o *canal* da comunicação. Assim sendo, em toda comunicação temos:

- O emissor
- O receptor

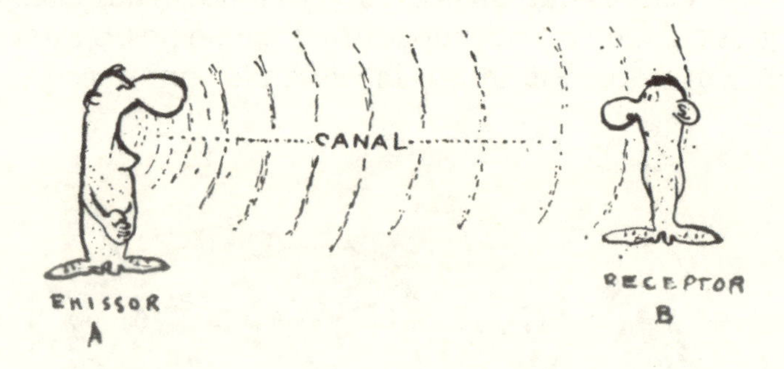

- O canal
- A mensagem

2. Tipos de comunicações

Existem, na realidade, muitos tipos de comunicações, as quais podemos classificar da seguinte forma:

1) *Comunicações verbais*. São as comunicações em que a mensagem é constituída pela palavra; podemos distinguir:

a) *As comunicações orais*: São as ordens, pedidos, conversas, colóquios, "bate-papo", comunicações telefônicas, pelo rádio, debates, discussões.

b) *As comunicações escritas*: Basta lembrar aqui as cartas, telegramas, bilhetinhos, letreiros, cartazes, livros, folhetos, jornais, revistas.

2) *Comunicações não verbais*[3]. É comum pensarmos que só nos comunicamos com a palavra; na realidade, estamos além das mensagens verbais e, na maioria das vezes, ao mesmo tempo, emitindo mensagens não verbais. Também aqui podemos distinguir várias categorias:

a) *As comunicações por mímica*: São os gestos das mãos, do corpo, da face, as caretas.

b) *As comunicações pelo olhar*: Sabemos que as pessoas costumam se "entender" pelo olhar.

c) *As comunicações posturais*: A postura ou atitude física de nosso corpo constitui também uma mensagem da qual somos pouco conscientes. Uma postura curvada, por exemplo, dá ideia de depressão e cansaço.

d) *As comunicações conscientes e inconscientes*: Enquanto falamos, nossos gestos podem dizer exatamente o contrário do que estamos expressando. Por exemplo, dizer: "Eu sou uma pessoa calma", e ao mesmo tempo roer as unhas ou crispar as mãos ou contrair espasmodicamente os pés ou as pernas. O falar foi uma mensagem consciente, a postura uma mensagem inconsciente.

---

3. Cf. tb. *O corpo fala*, do mesmo editor e autor.

3. Barreiras nas comunicações

A ideia que se tem, em geral, quando se fala em barreiras nas comunicações é a de ruídos que impedem a mensagem de chegar ao receptor. Na realidade, existem obstáculos e barreiras muito mais sutis, escondidos, e que só análises mais aprofundadas poderão revelar. Estas barreiras são tanto mais fortes quanto mais escondidas. Vamos citar algumas delas a título de exemplo:

1) *As opiniões e atitudes* do receptor fazem com que ele só ouça ou leia o que lhe interessa, ou ouça a mensagem de modo a que coincida com sua opinião, mesmo se o seu conteúdo for contrário.

2) *O egocentrismo* que nos impede de enxergar o ponto de vista de quem fala e nos compele também a rebater tudo que o outro disse, sem ao menos ouvir o que ele quis dizer realmente; isto acontece frequentemente quando ouvimos uma piada e, já antes do seu fim, estamos procurando uma outra melhor para contar, o que nos impede até de rir por gentileza da piada que acaba de ser contada.

3) *A percepção* que temos do outro, percepção esta que é influenciada por preconceitos e estereótipos. Os termos branco, negro, árabe, judeu, viúva, rico, pobre, operário, mulata, chinês, têm, cada um, uma conotação que nos predispõe a ouvir com atenção ou não, ou a esperar de antemão certas reações de preferência a outras.

4) *A competição* que leva as pessoas a terem um "monólogo coletivo" ou "diálogo de surdos". Cada um corta a palavra do outro sem ao menos ouvir o que está dizendo e fazendo questão de se fazer ouvir. Ninguém ouve ninguém.

5) *A frustração* impede a pessoa sujeita a ela de ouvir e entender o que está sendo dito.

6) *A transferência* inconsciente de sentimentos que tínhamos em relação a uma pessoa parecida com o interlocutor pode ditar uma predisposição favorável ou desfavorável.

7) *A projeção* que nos leva a emprestar a outrem intenções que nunca teve, mas que teríamos no lugar dele.

8) *A inibição* do receptor em relação ao emissor ou vice-versa.

Nas grandes organizações existem ainda barreiras específicas que iremos abordar a seguir, barreiras que provêm em grande parte da existência de comunicações formais e informais.

4. Uma nova Torre de Babel

Nas grandes organizações, em virtude da divisão do trabalho, costumam existir departamentos, divisões, seções, equipes; cada um destes órgãos tem o seu chefe; como já vimos, isto cria uma "distância social" entre o chefe e o subordinado do terceiro escalão da hierarquia;

entre ele e o subordinado há dois ou três chefes intermediários.

As relações e comunicações na organização dependem do seu "organograma" que constitui, hoje, uma verdadeira Torre de Babel, pois surgem os seguintes obstáculos:

1) *O número de intermediários*: Maior o número de intermediários para transmitir uma mensagem e maiores serão as distorções nas comunicações; em geral as intenções que presidiram à elaboração de uma mensagem ou de uma política chegam na linha de frente completamente deformadas, se é que chegam, e vice-versa.

2) *A posição no organograma*: os que ocupam uma posição central no organograma recebem muito maior nú-

mero de informações do que os que estão no fim da linha; isto tem uma influência direta sobre o "moral" do pessoal; os isolados têm em geral moral baixo e estão pouco dispostos a produzir.

3) *A parede do silêncio*: Quando inexistem comunicações horizontais entre órgãos do mesmo escalão hierárquico, também se observa uma baixa de moral e de produtividade.

Todas as medidas preconizadas no presente livro tendem a melhorar e estabelecer boas comunicações. Entre estas medidas, as reuniões são ainda as mais eficientes, pois permitem que as pessoas se encontrem, troquem ideias e impressões, estabeleçam e concordem com a fixação de objetivos, permitam uma circulação constante de informações dentro da hierarquia, além de facilitar o *feedback*, isto é, a expressão livre da reação às mensagens recebidas.

É das reuniões que irá tratar o próximo capítulo.

8
Liderança de reuniões

1. Importância das reuniões no processo de direção

Consagramos um capítulo especial à direção de reuniões, pois consideramos a reunião como chave-mestra das comunicações e relações humanas dentro da empresa.

São nas reuniões comuns que cada um traz o seu ponto de vista e a sua maneira de encarar a solução. Quantas vezes um chefe faz um planejamento ou toma uma deliberação e esse mesmo planejamento se revela inexequível, simplesmente porque a equipe de trabalho que está mais perto da realidade e que vê as possibilidades de execução não participou da deliberação.

É nas reuniões, também, que os chefes têm oportunidade de ouvir as queixas, reclamações e também receber sugestões quanto à melhoria do trabalho, ao aperfeiçoamento dos processos técnicos ou quanto às necessidades de cada um.

As reuniões podem ser organizadas de maneira a obedecerem à hierarquia e a conseguirem que todas as semanas ou todos os quinze dias a presidência seja informada dos problemas da escala hierárquica, desde a mais inferior, e que os membros desta última sejam informados dos pontos de vista da presidência ou da escala superior da hierarquia.

O presidente reúne os gerentes, estes os diretores de departamento, cada diretor de departamento tem um encontro com os diretores de divisão e assim por diante até chegar ao mestre que reúne seus operários. Evita-se, assim, reunir pessoas de grau de hierarquia ou de nível de cultura diferentes, o que acarreta dificuldades para quem dirige, pois provoca timidez, inibição e constrangimento em muitos membros do grupo.

As reuniões têm, por conseguinte, grande valor administrativo. Vamos, a seguir, mostrar que a reunião é também o maior instrumento educacional para se conseguir maior cooperação e produtividade na empresa.

2. Objetivos e tipos de reunião

Um chefe de usina está com o seguinte problema:

Há falta de matéria-prima para manter o ritmo de produção atual. As consequências lhe parecem ser a necessidade de dispensar três operários e de reorganizar o trabalho em função desta dispensa.

Poderá ele tomar várias atitudes no momento da reunião dos mestres que lhe são subordinados.

• *Primeira atitude.* Após longa meditação ele chegou à conclusão de que há necessidade de dispensar os operários e já determinou os nomes das pessoas a demitir.

Neste caso ele reunirá o seu pessoal, exporá o problema e dirá: "fulano e beltrano serão demitidos". Esta reunião poder-se-á chamar tipo informativo.

• *Segunda atitude.* Antes de tomar a decisão, o gerente quer ter a opinião dos mestres que ele dirige. Convoca-os para uma reunião e informa-os do problema.

Uns, por exemplo, opinarão que fulano e sicrano devem ser dispensados. Outros dirão que não há necessidade de demitir operário nenhum, pois os mesmos poderão ser aproveitados em outro setor.

Depois da reunião o gerente toma a decisão que bem entender. Esta reunião é do tipo coletora de opiniões.

• *Terceira atitude.* O gerente depois de longa meditação chega à conclusão de que se deviam dispensar três operários, já tendo decidido quais os nomes. Ele reúne o pessoal e faz a seguinte exposição:

"Meus amigos, acontece que nosso estoque de produto X está diminuindo e não se encontra mais no mercado; a importação só poderá ser feita no próximo ano. Já pensei muito e acho que precisamos diminuir nossa produção, não havendo mais trabalho para todos".

"O que fazer neste caso? Só temos um recurso: é demitir alguns operários; os senhores não acham? (a maioria concorda). Então penso que para sermos justos teremos

que dispensar fulano e beltrano porque são justamente os que menos produzem e dos quais todos se queixam".

Apesar de já ter tomado uma decisão, ele explica à sua equipe qual a solução que lhe parece melhor, por que chegou a tal conclusão, e tenta convencer os mestres de que é esta solução a mais viável. O gerente desenvolve a solução para eles e esse tipo de reunião poder-se-á chamar de explicativo-persuasiva.

• *Quarta atividade.* O gerente estuda o assunto a fundo e pensa conhecer as soluções possíveis, porém, como líder que ele é, sabe que seu grupo talvez tenha solução melhor, pois nem todos são oniscientes, ainda mais quando cada um executa tarefas diferentes visando a um objetivo comum.

O gerente-líder sabe que os seus auxiliares e colaboradores estão a par, pelas suas atribuições, de uma série de detalhes que ele mesmo desconhece por completo. É com este espírito que reúne o grupo de mestria e expõe o problema. Cada qual dá a sua opinião:

"Eu acho que se devem despedir os operários". Outros sugerem que os mesmos sejam aproveitados num outro trabalho, dando assim solução mais humana ao problema.

Na hora de falar o chefe de laboratório, há uma surpresa geral, pois este informa que existe na praça um outro produto mais econômico e que apresenta as mesmas vantagens que o utilizado.

Estabelece-se um debate em torno das vantagens e inconvenientes deste produto. Por fim, o gerente, todo satisfeito, agradece a colaboração de todos, que foi de grande utilidade, e especialmente a magnífica ideia do chefe de laboratório.

O resultado prático foi que não houve necessidade de dispensar ninguém, e que a produção poder-se-á manter equivalente. Para o bem de todos o chefe de laboratório tinha razão. A este tipo de reunião dá-se o nome de opinativo-deliberativa.

As quatro atitudes que acabamos de descrever e que constituem adaptações do trabalho de E.S. Hannaford correspondem aos quatro tipos seguintes de reuniões:

I – Informativa

II – Coletora de opiniões

III – Explicativo-persuasiva

IV – Opinativo-deliberativa

Existem ainda dois outros tipos de reuniões. Um que tem por objetivo conciliar interesses opostos. É o que acontece, por exemplo, numa conferência de paz, ou quando se quer unir num esforço comum duas empresas concorrentes; outro tipo é a reunião de tipo *grupo-diretivo*, na qual é o próprio grupo que toma todas as iniciativas, como, por exemplo, os operários que decidem fazer uma excursão, ou um grupo de crianças que delibera jogar futebol.

São consideradas reuniões lideradas no sentido do termo unicamente os tipos 3, 4 e 5, porque nelas atua o líder no sentido da palavra, ou seja, nelas existe uma pessoa que coordena os trabalhos, concentrando sua atenção no grupo e provocando a cooperação de equipe.

Com efeito, o objetivo principal da reunião é conseguir a cooperação dos membros do grupo. Isto só se faz quando todos participam do debate do problema chegando às melhores soluções. Ora, quem participa de uma conclusão tem de aceitá-la e quem aceita coopera; a participação gera a aceitação, que traz consigo a cooperação.

Na reunião de tipo I não há participação dos membros do grupo. Por isso não se pode esperar nenhuma cooperação das pessoas.

Na reunião de tipo IV, pelo contrário, a participação das pessoas é muito grande e pode-se esperar um grau de aceitação e de cooperação máxima.

3. *O mecanismo intelectual de uma reunião*

Para bem compreender o que se passa na cabeça de uma pessoa que participa de uma reunião é necessário entender perfeitamente a maneira com a qual as pessoas costumam pensar e resolver um problema. É o que descrevemos a seguir:

Em primeiro lugar as pessoas costumam reconhecer o problema e defini-lo.

Uma vez bem esclarecida a natureza do assunto, surge o interesse para encontrar uma solução. Então se faz

uma análise do caso, procuram-se as causas que o provocaram, fazendo um resumo de todos os fatos em torno do

problema, avaliando-se um a um. Durante esta análise surge esboço de soluções que constituem conclusões pro-

visórias; digo provisórias porque há ainda necessidade de verificar se elas estão certas. Uma vez feitas estas verificações chega-se à conclusão definitiva. São, por conse-

guinte, quatro fases pelas quais passa o nosso pensamento quando estudamos um problema.

Iremos a seguir resumi-las, ilustrando com um exemplo.

• *Primeira fase: definir o problema.* Exemplo: "Meu auxiliar não fala comigo há uma semana, só executa o que lhe peço e mais nada. O que fazer para que ele modifique esta atitude?"

• *Segunda fase: analisar o problema e procurar as causas.* Exemplo: "Por que este auxiliar me trata assim? É verdade que na semana passada perdi a calma e gritei com ele, mas também soube que de algum tempo para cá a esposa está continuamente em briga com ele. No entanto, vejo agora que um de seus colegas foi promovido em salário. Será que ele se julga vítima de uma injustiça? Vejamos:

Salário não pode ser, porque eu mesmo lhe anunciei que ele terá um aumento. O fato de eu ter perdido a calma também é pouco provável porque no dia seguinte tratei-o muito bem e ele ainda conversava normalmente comigo. Parece-me ser algum problema em casa".

• *Terceira fase: conclusão provisória.* Exemplo: "Deve ser algum problema da esposa. Vou conversar com ele para saber o que há".

• *Quarta fase: conclusão definitiva.* Exemplo: "Conversei com ele e disse-me que estava aborrecido, que não era nada comigo, que eram as coisas em casa que não andavam boas".

Para dirigir uma reunião é necessário fazer com que todos os membros do grupo passem em seu pensamento individual por estas quatro fases. Não adianta, por exemplo, entrar no debate se o problema ainda não foi bem definido para cada um. Quantas vezes acontece que uma pessoa no meio da reunião demonstra através de uma pergunta que ainda não entendeu bem o problema, quando grande parte da equipe já estava chegando próximo da conclusão.

As fases de uma reunião liderada devem, por conseguinte, seguir as fases normais do pensamento humano. São elas as seguintes:

• *Primeira fase: definição do assunto ou do problema.* O ideal é escrever o problema no quadro, que é o instrumento indispensável de uma reunião.

• *Segunda fase: debate do problema ou do assunto.* É a fase duradoura à qual cada um dos membros do grupo traz experiências pessoais a respeito do problema, dando exemplos concretos, analisando as causas.

• *Terceira fase: aceitação.* Essa fase é capital, pois é nela que todos procuram as soluções, debatendo qual a melhor, e chegando às conclusões que são consideradas provisórias, por constituírem ainda objeto de um debate.

• *Quarta fase: resumo da conclusão.* As conclusões são escritas no quadro-negro a fim de que todos possam lê-las e verificar se ainda há alguma discordância; neste caso a reunião fará uma regressão à fase anterior.

A seguir damos um quadro comparativo das fases normais do pensamento e das fases de uma reunião liderada:

Fases do pensamento	**Fases de reunião liderada**
I – Definir o problema	I – Definição do assunto ou do problema
II – Analisar o problema e procurar as causas	II – Debate do problema ou do assunto
III – Conclusão provisória	III – Aceitação
IV – Conclusão definitiva	IV – Redação da conclusão

Adaptação de E.S. Hannaford (cf. bibliografia).

Muitas reuniões fracassam porque o dirigente foi demasiado apressado em procurar levar o grupo à conclusão antes de passar pela fase de aceitação ou mesmo de definição do problema. É interessante notar, ainda, que a maioria das reuniões tem um valor educativo e instrutivo, pois justamente pelo fato de passar pelas quatro fases do pensamento é que as pessoas adquirem mais experiência e chegam a completar a sua formação, senão a adquirir novos conhecimentos. Neste sentido o líder é um verdadeiro educador; aliás, qualquer aula deveria seguir este princípio, pois está hoje comprovado que não há melhor aula do que uma reunião liderada sobre o assunto a ser estudado.

4. Influência do inconsciente durante a reunião

Existe uma série de fenômenos psicológicos que se passam dentro das pessoas durante as reuniões e que não escapam às observações de um dirigente treinado.

Um deles é o que os psicanalistas chamam de catarse, que não é nada mais que o que o senso comum chama de desabafo. Acontece que em certas empresas o ambiente fica carregado, criando assim uma atmosfera de tensão, de revolta, de medo, formando uma carga de desconfiança em torno dos líderes; esta tensão pode ser aliviada justamente através da catarse.

Cada um se queixa, por exemplo, de que está com medo de ser despedido, que está com medo de não ser promovido, que está revoltado porque foi admitida gente de fora com salário superior aos que estavam na empresa, que são descontados quando chegam atrasados, não recebendo entretanto as horas suplementares, etc.

A catarse provoca um alívio geral, pois descarrega o problema nas mãos dos dirigentes. O alívio das tensões, porém, será provisório se não se tirar a causa que a gera, e equivale a uma injeção de morfina para aliviar a dor de um canceroso; a morfina alivia a dor, mas não cura; da mesma forma, a catarse alivia, mas não tira a causa das tensões.

Outro fenômeno muito interessante nas reuniões é o da transferência de sentimento. Acontece, por exemplo, que certas pessoas não deixam os outros falar.

A razão profunda desta conduta, desse aparte, é a competição, muitas vezes originada na pequena infância do aparteante, por incrível que pareça. Essas pessoas tiveram ciúmes terríveis de seus irmãos, ciúmes que foram cultivados pelos educadores através de frases como estas: "olhe seu irmão como é bonzinho, você não presta; todos os seus colegas têm boas notas, você não", etc.

Estas crianças desenvolvem um complexo de inferioridade e ficam com ciúmes de seus irmãos e de seus colegas. O resultado disto é que muitos fazem tudo para atrair a atenção dos pais, dos professores e, mais tarde, dos dirigentes. Sua tendência é impedir que os outros brilhem, para eles serem os únicos a aparecer. Eles transferem seus sentimentos da pequena infância sobre os colegas de trabalho.

Da mesma forma, conflitos com o pai podem ser transferidos sobre o dirigente, havendo assim pessoas que serão sempre do contra a tudo que diz o líder. Este último deverá ser dotado de paciência e de compreensão, pois sabe que, aos poucos, numerosas pessoas desse tipo passam a mudar de atitude, quando tomam consciência de que têm diante de si alguém diferente das situações infantis.

Há indivíduos que imitam o líder, o que se chama identificação. Eles se identificam com o líder adquirindo sua calma, sua paciência, seu autocontrole, suas atitudes de respeito humano. Estas imitações são muito mais fre-

quentes do que se pode pensar à primeira vista, e fazem com que se possa notar com muita facilidade o tipo de dirigente através do ambiente das reuniões.

Reuniões agitadas, saturadas de tensão emocional, nas quais a briga é o caminho mais frequente adotado pelos membros do grupo, são em geral reuniões nas quais o dirigente deu o exemplo.

5. Linguagem e ordenação do debate

A linguagem é uma arma muito potente nas comunicações, pois é ela que leva os indivíduos a se entenderem entre si; no entanto, pode também gerar conflitos e incompreensões. Devemos ter grande cuidado com muitas palavras que têm dois, três ou mais sentidos diferentes.

A semântica é a ciência que permite, nas grandes reuniões científicas, colocar os cientistas de acordo entre si sobre as palavras. A palavra agressividade, por exemplo, para os norte-americanos tem um sentido positivo, sinônimo de atividade e combatividade, de luta para conseguir o objetivo, enquanto que para os europeus a mesma palavra é sinônimo de hostilidade. Já assisti a discussões de duas horas entre pessoas sem que chegassem a uma conclusão, porque cada uma entendia coisa diferente a respeito da mesma palavra.

A linguagem ideal para o líder, por incrível que pareça, é o silêncio. Quando mais ele se calar, maior é a participação do grupo que dirige; e, como já vimos, participação gera cooperação. O dirigente que fala muito durante as reuniões é uma pessoa que inibe o grupo ou provoca a sua passividade. Por isso o líder deve utilizar-se de perguntas, podendo distinguir-se vários tipos (Hannaford).

• *Primeiro tipo: a pergunta geral.* Exemplo: "O que os senhores acham a respeito de tal e tal problema?" é a pergunta dirigida ao grupo todo.

• *Segundo tipo: a pergunta direta.* Exemplo: "O que o senhor acha?" é a pergunta dirigida diretamente ao indivíduo; deve ser feita com muito cuidado, pois provoca, em geral, angústia e inibição na pessoa que a recebe. Só se usa este tipo de pergunta diante de uma grande passividade do grupo; convém, neste caso, dirigir-se à pessoa mais desembaraçada, conhecida por não ter timidez e da qual se sabe que responderá com acerto.

• *Terceiro tipo: a pergunta revertida.* Exemplo: um dos membros do grupo faz uma pergunta ao dirigente; este, porém, não quer responder para não influenciar o grupo com as suas próprias opiniões, ou por sentir que a pergunta foi feita apenas porque a pessoa já tem sua opinião feita a respeito do assunto e quer ter oportunidade para externá-la. Neste caso, responde simplesmente à pergunta com outra pergunta: "qual é a sua opinião a respeito deste assunto?"

• *Quarto tipo: a pergunta revezada.* Exemplo: utiliza-se no mesmo caso que a anterior, mas, ao invés de devolver a própria pergunta à mesma pessoa, faz-se a mesma pergunta a outra pessoa (pergunta revezada direta), ou então ao grupo todo (pergunta revezada geral).

Conforme se vê, a pergunta é a arma mais potente do líder. É com a pergunta que ele ordena o debate; quando sente que as pessoas estão saindo do assunto, ou que arrisca fazer perder muito tempo, o líder habilmente joga uma pergunta para fazer continuar o debate dentro da ordem do dia. O próprio início do debate far-se-á com uma pergunta ligada diretamente ao problema a ser estudado ou reestudado.

Convém por fim fazer algumas observações quanto à utilização da linguagem para conduzir o debate. Existem duas maneiras de agir resumidas no gráfico abaixo[4].

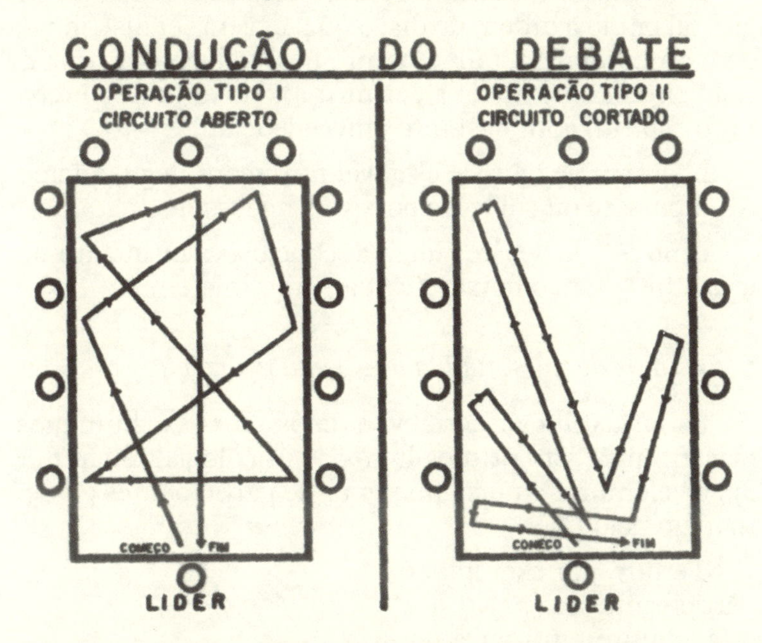

Na primeira, o líder deixa cada um se pronunciar à vontade. O circuito da linguagem é amplamente aberto, de tal modo que se estabeleçam trocas de opiniões entre as pessoas sem passar pela coordenação do líder (operação tipo I).

Outra maneira de proceder consiste em fazer o resumo rápido do pensamento de cada pessoa, jogando-se em seguida uma pergunta geral a respeito, pedindo a opinião sobre o assunto (operação tipo II).

Embora a operação tipo I dê a ilusão de mais liberdade, é a operação tipo II a mais eficiente, não somente por ser mais rápida, mas ainda por permitir ao líder a coorde-

---

4. Idealizado por E.S. Hannaford (cf. bibliografia).

nação do debate: poderá assim evitar que dois assuntos sejam tratados ao mesmo tempo.

A utilização da linguagem escrita é também recomendável nas seguintes fases do debate:

a) no início, convém escrever o problema no quadro-negro, ou então a ordem do dia, a qual deverá ser distribuída com antecedência, tanto quanto possível, sob a forma de nota circular, de modo a permitir a todo o mundo preparar o espírito com bastante antecedência;

b) durante a reunião escrever no quadro-negro diferentes hipóteses ou soluções possíveis na fase de aceitação;

c) no fim do debate redigir as conclusões no quadro-negro, a fim de não deixar dúvida para ninguém.

6. *Os tipos de personalidade e a sua utilização*

Seria fastidioso descrever todos os tipos humanos; existem para isto ótimos livros de psicologia. Queremos apenas lembrar aqui alguns tipos de participantes e o seu manejo pelo líder.

Temos, por exemplo, o participante combativo, que está sempre a tomar a palavra em primeiro lugar; é uma personagem muito útil para o líder, que saberá aproveitar este traço de temperamento para iniciar ou estimular o debate.

O outro tipo interessante é o que fala demais. Neste caso o líder muito habilmente interrompe a pessoa que fala, resumindo seu pensamento, perguntando à mesma se é isto que ela quer dizer e fazendo uma pergunta de tipo geral para dar a oportunidade de falar a outras pessoas. É a melhor maneira de agir com indivíduos que monopolizam o debate.

Com o tipo introvertido, inibido, são necessárias, às vezes, perguntas diretas, sobretudo na fase de aceitação e de redação das conclusões, isto, a fim de ter a certeza de que estas pessoas irão cooperar na aplicação das conclusões, pois, muitas vezes, indivíduos têm medo de fazer objeções e prejudicam mais tarde a execução das deliberações por não terem concordado com as conclusões.

7. Por que fracassam certas reuniões?

Os motivos de fracassos são inúmeros. Descreveremos a seguir alguns, sendo bem-entendido que qualquer erro, na execução do que foi dito acima, pode levar uma reunião ao fracasso.

• *Tipo inadequado de reunião.* Assim, por exemplo, pode acontecer que um dirigente, convencido da necessidade de fazer reunião do tipo IV (opinativa-deliberativa) e tendo sido bem-sucedido em várias reuniões desse tipo, chega a fracassar em uma, porque provocou um debate em torno de um assunto cujas conclusões já haviam sido dadas pelos superiores. Seu corpo chegou à conclusão diferente e ele teve então de declarar que decisão diferente já tinha sido tomada. A reação evidente dos membros do grupo será então deste tipo: "se já está decidido, para que debater o assunto!" O líder neste caso deveria ter feito uma reunião de tipo informativa (tipo I).

• *Falta de experiência do líder.* Da mesma forma, a falta de experiência do líder pode levar uma reunião a fracassar porque não soube provocar a participação do grupo, ou porque não seguiu as fases da reunião liderada, ou, ainda, porque deixou o debate no meio, sem chegar à conclusão. Esta reunião em geral acaba com os seguintes comentários: "falamos tanto e no fim não se resolveu nada!"

• *Visita de pessoa estranha.* A chegada de um visitante ilustre (autoridade superior, presidente) pode provocar uma inibição geral das pessoas, uma perda de espontaneidade na atitude e um constrangimento geral; ou então, cada um querer falar mais para demonstrar à autoridade superior a sua eficiência e fazer cartaz.

• *Heterogeneidade do grupo.* A heterogeneidade no ponto de vista da cultura ou do grau hierárquico faz com que um só grupo de pessoas participe da reunião. No caso de os mais cultos falarem, os que têm cultura primária ficam calados por desinteresse e por complexo de inferioridade. No caso contrário, de os de cultura menos desenvolvida participarem do debate, os de grau cultural mais elevado ficam calados por desinteresse.

• *Falta de plano.* A falta de ordenação no debate provoca perda de tempo em considerações fora do assunto, e faz com que na reunião de uma hora, em que se podia ter chegado à solução de vários problemas, só se chegue a aflorar o enunciado de um.

• *O telefone.* O telefone é o inimigo mortal dos dirigentes da reunião. Quantas vezes uma reunião acaba morrendo por falta do dirigente; este foi chamado ao telefone pelo presidente ou autoridade superior para tratar de um assunto que nem sempre era urgente e que podia ser adiado. Numa empresa bem organizada o próprio presidente deve saber compreender e não se zangar se um dos seus gerentes perguntar se a entrevista pode ser adiada por ele estar em reunião.

Quanto aos telefones externos, a melhor maneira consiste em pedir à secretária ou a um auxiliar de responsabilidade que tome o recado, informando que o gerente está em reunião. Sem essas providências o gerente não pode fazer uma boa reunião.

• *O temperamento do dirigente.* O tipo de dirigente pode ser motivo de fracasso. Um temperamento hiperagressivo é, por exemplo, contraindicado para a liderança da reunião.

9
Os problemas de relações humanas

Todos os grupos sociais passam por diversas transformações na sua evolução.

A cada mudança surgem problemas de relações humanas. Tentaremos classificar, a seguir, os diferentes tipos de problemas, analisando as causas que os provocam.

1. A saída de um membro do grupo

Acontece muitas vezes que, quando um grupo funciona bem, é muito unido, um dos seus membros tem de deixá-lo; este fato pode provocar desequilíbrio prejudicial à vida do grupo.

Fomos um dia chamados para resolver um conflito sério que se tinha levantado entre dois chefes de uma grande loja. Depois de termos efetuado o exame psicológico, aplicado vários testes em cada um, notamos que as diferenças eram de tal ordem que podíamos considerar os dois como pertencendo a tipos opostos; tinham maneiras diferentes de resolver os assuntos; eram antigos funcionários e nós não entendíamos por que os conflitos surgiam tão repentinamente. Notamos então que outro chefe, muito amigo de ambos, tinha, há pouco tempo, deixado a loja; era muito diplomata e, nas reuniões de coordenação entre os chefes, era o elemento conciliador entre os dois temperamentos opostos. A sua saída provocou verdadeiro desequilíbrio na composição do grupo.

2. A chegada de novo membro no grupo

Existem, em certos grupos, barreiras que dificultam ou impossibilitam a entrada de novos elementos. Pode-se dizer mesmo que, quanto maior a solidariedade entre os membros do grupo, mais dificilmente serão admitidos novos membros; sobretudo quando o grupo tem longa existência sem mudanças:

"Quem será?" "Ele será capaz de trabalhar conosco?" "Ele vai superar-me?" "Ele não vai tomar o meu lugar?", são, em geral, perguntas que se fazem em seu subconsciente, os membros do grupo, diante de um novo elemento, o qual, às vezes, leva anos para conseguir a confiança dos outros.

3. A "distância social"

Duas pessoas, às vezes, que trabalham na mesma sala ou no mesmo andar, apesar de estarem muito perto uma da outra, têm raros contatos; é o caso do diretor-geral de uma firma industrial e do servente de uma máquina; vivem, muitas vezes, perto um do outro, mas entre eles há o mestre, o gerente da produção e não sabemos ainda quantos chefes os separam; diz-se que há, entre os dois, uma distância social muito grande.

Quanto maior a distância social, mais frequentes poderão ser os problemas de relações humanas entre dirigentes e dirigidos, pois uns recebem notícias dos outros através de terceiros que as interpretam mal, deformam-nas, ou escondem a verdade. O maior problema atual das grandes empresas, forçadas a uma hierarquia cada vez mais complexa, é o aumento da distância social entre a direção e os empregados.

A distância social faz com que os dirigentes vejam um aglomerado de empregados, que tratam com ordens, repreensões, despedidas, esquecendo-se por completo dos problemas que cada ser humano traz em si; do mesmo modo, os empregados veem na direção homens com poderes ilimitados e sem coração e compreensão humana.

A falta de aproximação entre a direção e a parte executiva cria verdadeiras barreiras prejudiciais à vida de um grupo.

Numerosos indivíduos que se encontram diariamente no trabalho ou nos negócios têm entre si grande distância social por causa dos seus aspectos culturais, raciais, nacionais ou outros. Há grande distância social, por exemplo, entre um alemão e um francês, um aristocrata e um operário, uma cozinheira e uma estudante de direito, um pai idoso e um filho.

Nos colégios existe também uma distância social muito grande entre os alunos e o diretor; muitos diretores só se interessam pela disciplina geral, distribuindo repreensões e castigos em profusão, sem ter tempo de conhecer de mais perto o motivo que levou determinado aluno a cometer tal ou tais erros.

4. O clima social

Cabe ao dirigente de um grupo criar um clima, uma atmosfera de calma, confiança e compreensão mútua. Mas nem sempre isto acontece.

Quem não se lembra de ter tido um professor irritável, nervoso, colérico? Ninguém o respeitava, ou então os seus alunos ficavam com medo dos castigos, a tal ponto que, mesmo quando haviam aprendido a lição, ficavam gaguejando no momento da sabatina.

Esse clima social depende, muitas vezes, de quem dirige o grupo.

Cada um dos nossos leitores poderá observar e mesmo provocar a observação do clima social durante as assembleias, ou nas reuniões de clubes, associações, comissões de estudos, turmas de alunos. Vejamos, por exemplo, o que acontece, em função do tipo de presidente.

O dirigente autocrático, ditatorial, tem como lema: "Eu quero [...]", "Eu acho que [...]" Ele torna todos e tudo dependentes de suas decisões. Só ele fala e ordena. A maioria das pessoas, cujas ideias poderiam ser preciosas, desinteressam-se e ficam passivas e caladas; ele anula a iniciativa pessoal, dá ordens que devem ser executadas; cria revoltas dentro do grupo e ciúme entre os seus membros.

Numa mesa-redonda podemos figurar o clima social do seguinte modo:

Na reunião autocrática as ordens e as palavras emanam do dirigente.

Os seus subordinados passam a imitar inconscientemente as suas atitudes, passando a ser agressivos com os seus colegas, esposas ou alunos, conforme o caso.

O oposto é o dirigente passivo. Seu lema é: *Deixe como está para ver como é que fica*. Numa mesa-redonda, de-

Presidente ditatorial

pois de alguns minutos da sua presidência *laissez-faire*, ninguém mais entende nada; vários subgrupos se formam; cada um dos membros quer atrair a atenção dos seus vizinhos de mesa sobre o seu ponto de vista, já que todos não podem ouvi-lo. A confusão é total. O esquema da reunião *laissez-faire* é assim.

Na reunião *laissez-faire* formam-se subgrupos de discussões que fazem da reunião uma anarquia.

Entre esses dois tipos de clima social, um de constrangimento e opressão, outro de *laissez-faire* e de displicência, existe o clima de confiança e compreensão mútua, criado pelo dirigente do tipo líder. Nos grupos liderados, o dirigente deixa cada um dar a sua opinião, a sua colaboração; provoca o respeito de cada um dos membros do grupo para com o outro, sendo assim possibilitadas discussões francas, leais e produtivas.

Esquematizamos este tipo de clima da seguinte forma:

Na reunião liderada, cada um pode expor a sua opinião, um após outro; os membros podem discutir entre si, mas o líder coordena as discussões de tal maneira que o grupo total participe e siga o desenvolvimento das ideias.

O que caracteriza o grupo liderado é que as decisões emanam das pessoas, sendo o líder a expressão do grupo. A atmosfera social do grupo liderado é de confiança.

5. As rivalidades

Nas empresas onde não existe regimento interno que reparta de maneira clara e racional as equipes, comissões e grupos de trabalho, costumam surgir problemas de competência que são outros tantos problemas de relações humanas.

Nas administrações de numerosos países é frequente encontrarem-se várias seções ou mesmo ministérios inteiros em luta aberta ou velada, para ter a prerrogativa das honras de efetuar determinada tarefa. Maiores a coesão e a solidariedade dos membros do grupo e maiores serão as suas reações de defesa.

Existem, mesmo, chefes, diretores e presidentes que se aproveitam de tal situação de divisão das suas próprias equipes de trabalho para instalar melhor o seu poder; acabam, em realidade, perdendo o prestígio, pela desintegração dos seus times e pelo baixo rendimento que disso decorre.

Do mesmo modo que uma coletividade perece pelas rivalidades entre os seus grupos, da mesma maneira a vida dos grupos está em perigo quando os seus membros entram em luta interna.

6. *As limitações da liberdade*

Conhecemos vários casos de equipes de empresas ou grupos de professores que, desejosos de melhorar o rendimento do trabalho em benefício da coletividade, construíram ótimos planos, racionais e exequíveis. Mas, quando os apresentaram à direção superior, encontraram incompreensões e resistências tais que desanimaram; a direção destas instituições perdeu ótima oportunidade de aumentar a produtividade das equipes pela sua cooperação.

Acontece que a liberdade de ação dos grupos e dos seus líderes está, muitas vezes, limitada por regimentos internos inadequados e superados. As técnicas de trabalho em grupo e a manifestação de boas relações humanas só são possíveis quando em toda escala de hierarquia reina um espírito de compreensão e de respeito humano tal, que os dirigentes não se envergonham de receber conselhos dos grupos de empregados sabendo que têm muito que aprender dos que executam as tarefas nas suas minúcias; por sua vez, os empregados têm que sentir o quanto são complexos os problemas de direção; sabendo que eles fazem parte útil de um conjunto, serão mais propensos a aceitar limitações impostas pela divisão do trabalho, pelos regimentos internos, pelos contratos de trabalho, etc.

7. *As frustrações*

Frustração é a situação provocada pela presença de um obstáculo no caminho da realização de um desejo.

As frustrações são normais na vida; o equilíbrio de uma pessoa caracteriza-se justamente pela sua aptidão em superar as frustrações.

Há, porém, grupos que oferecem tal quantidade de frustrações para os seus membros, que a sua existência está posta em perigo, sobretudo quando as frustrações afetam as relações humanas.

Existem tantos motivos de frustração que seria utopia enumerá-los todos. Eis alguns exemplos: os castigos dos pais e professores, os descontos de salário por atraso, o ato de cortar a palavra a alguém que fala, a despedida de um empregado, um palavrão ou uma ironia contra alguém durante uma discussão, aumento de trabalho sem aumento correspondente de ordenado, repreensão de uma pessoa em presença dos colegas, críticas constantes do marido pela esposa ou vice-versa, tomar a iniciativa de tarefa cuja execução pertença a um colega, só pelo prestígio do ato, ver um lugar desejado tomado por outra pessoa, etc.

São várias as maneiras de reagir às frustrações. Tomemos o exemplo da esposa que recebe críticas constantes do marido.

Poderá ela, a cada crítica, responder por desaforo e injuriar o marido? A sua reação será uma conduta agressiva.

Outra atitude será a de ficar calada, deixando passar a tempestade; terá uma conduta de resignação diante do obstáculo à realização de seu desejo de felicidade.

A conduta de fuga do obstáculo é também muito frequente; é o caso no qual ela pedirá o desquite.

Se ela tivesse usado a diplomacia, desviando a conversa a cada crítica, teria o comportamento de contorno do obstáculo.

Se o prestígio do marido for muito grande, ela mesma passará inconscientemente a imitá-lo, criticando os filhos, a mãe e os amigos. Este procedimento será o da identificação com o obstáculo.

Mas, em todas estas reações, o obstáculo ficou, pois não se modificou a atitude de constante crítica.

A única atitude construtiva, nas relações humanas, será a conduta de solução do problema. Procurará, numa reunião franca, amistosa e carinhosa, explicar ao marido os seus problemas e procurar, junto com ele, as possíveis soluções.

8. *Relações entre os dois sexos*

Há, em inúmeras pessoas, tendência a só frequentar gente do seu sexo. Os motivos são diversos: costume, educação, medo, timidez, etc.

A causa principal é, ainda, o fato de, nos colégios e nas escolas, meninos e meninas serem educados separadamente.

Não acostumados a lidar com o outro sexo, muitos homens prejudicam o trabalho em grupo, onde têm de cooperar com mulheres, ou pelas suas atitudes de pouco caso, de desprezo ou por tentativas de relações outras que as simplesmente amistosas.

9. *A pressão do grupo*

Estamos todos fortemente influenciados pelos grupos em que vivemos.

A educação recebida por nós, de nossos genitores, consiste em grande parte na influência diária dos hábitos de vida do grupo familiar que passamos a imitar (levantar e deitar a horas fixas, gostos por certos alimentos, costumes religiosos, etc.).

A pressão do grupo faz com que passemos a adquirir imperceptivelmente os hábitos, costumes e pensamentos do grupo.

Problemas de relações humanas surgem quando uma pessoa tem maneiras, hábitos, crenças e pensamentos diferentes do grupo em que vive.

O caso acontece quando, por exemplo, um alemão vive no meio de franceses, ou um padre no meio de ateus, um explorador no meio dos índios.

A pressão se exerce também em grupos onde existam minorias (pensamento, cor, religião, etc.). Os grupos têm tendência, quando não treinados em relações humanas, a rejeitar, ou, mesmo, perseguir as minorias que não querem assimilar-se. É um bem quando as minorias são constituídas de ladrões e de gente desonesta; mas não quando se trata de crenças ou de raças.

10
Tensões e evolução

"Como aliviar as tensões?" "Como evitar a angústia?" "Novo método de libertação da ansiedade", são perguntas ou títulos de artigos ou livros, frequentes em nossa época de civilização industrial.

Talvez seja conveniente examinarmos o que se esconde por baixo deste problema de "libertação das tensões", pois é o que constitui o maior motivo de preocupações do homem urbano e mais particularmente do administrador, sujeito a doenças psicossomáticas de tensão.

Em primeiro lugar o que é uma tensão? É ela sempre nociva? Vamos tentar responder a estas perguntas.

A. O que é uma tensão?

Cada vez que queremos almejar um objetivo entramos em situação de tensão; todos nós temos objetivos a alcan-

çar, como, por exemplo: ter uma boa renda mensal, comprar uma radiola [sic], fazer uma viagem de fim de semana, namorar, noivar ou casar, terminar um livro que nos interessa ou comprar um ingresso para a partida de futebol.

Cada um destes objetivos, enquanto espera ser alcançado, provoca uma tensão. Uma vez atingido o objetivo, desaparece a tensão.

Libertar-se de tensões consistiria por conseguinte em alcançar os nossos objetivos.

Evitar tensões consistiria em evitar ter objetivos.

Ora, isto é simplesmente uma utopia, pois sem objetivos não poderíamos sobreviver:

Comer, beber, abrigar-se também são objetivos e criam tensões para alcançá-los.

Daí decorre uma primeira proposição ao leitor: tensão faz parte da vida, pois é ligada estreitamente a objetivos a alcançar. Poderíamos dizer mais: é o desejo de aliviar a dor ligada à tensão que nos faz progredir e evoluir. A tensão é a mola mestra da evolução; isto vale tanto para os indivíduos como para as coletividades.

Onde está então o problema? Por que as tensões levam a neuroses, úlceras duodenais, enfartos do miocárdio?

É que entre as tensões existem tipos que poderemos classificar como inúteis ou mesmo nocivos. Quais são eles? É o que vamos examinar a seguir.

B. Quais as tensões nocivas?

Vamos tentar enumerar alguns dos principais tipos de tensão prejudiciais à saúde psicossomática, descrevendo as suas causas, o que por si já aponta certas soluções tanto para sua prevenção quanto para sua terapêutica.

1. Excesso de objetivos

Certas pessoas, em geral entusiastas, ou extremamente competitivas, fixam para si mesmas ou para as organizações que dirigem um número tão grande de objetivos que são levadas à estafa física e mental e ao conflito entre se sacrificar ou alcançar todos os objetivos.

A solução evidente é limitar os objetivos ao essencial, deixando o que é acessório para outras oportunidades.

2. Objetivos inalcançáveis

Experiências feitas por psicólogos colocaram em relevo que, cada vez que uma pessoa está diante de um objetivo que ela tem consciência da impossibilidade de atingir, tem ela reações de irritação, de desespero ou, mais frequentemente, de agressão.

Isto explica muitos comportamentos em organizações em que os trabalhadores se tornam irritadiços ou apáticos.

Para evitar este tipo de tensão convém fixar objetivos realizáveis na prática, que constituem um desafio estimulante não neurotizante.

3. Objetivos imprecisos

Quando uma pessoa não sabe o que quer, tem apenas ideias vagas a respeito do que pretende, gera-se também

certo tipo de tensão desagradável, o que nos leva a mais uma recomendação: procurar definir para si mesmo e para os outros, de maneira clara, os objetivos que se quer alcançar. Prever o que, como, quando, com quem, com quê.

4. Conflito entre objetivos de interesse igual

Quando na mesma hora queremos ir ao cinema ou assistir a uma partida de futebol, acrescentamos à tensão normal de alcançar um objetivo outra ligada ao fato de que não podemos fazer duas coisas ao mesmo tempo, salvo em caso de exceção.

Daí decorre um outro princípio para evitar tensões nocivas: Programar uma ordem de sucessão na realização dos nossos objetivos. Isto se traduz praticamente sob forma de agendas individuais, cronogramas, Pert, etc.

5. Pessoas diferentes querendo alcançar o mesmo objetivo

Isto acontece muito mais frequentemente do que se pensa; por exemplo: duas pessoas querendo ocupar o mesmo cargo e só tem uma vaga; várias pessoas tratando do mesmo assunto e convencidas de que a atribuição é delas; quatro pessoas querendo jogar damas e só tem um tabuleiro.

Estamos aqui diante de uma tensão interpessoal chamada corriqueiramente de competição. A competição é uma situação de tensão que pode ser estimulante em certas condições, mas na maioria das vezes é geradora de conflitos, agressões individuais e quando se trata de coletividades estamos em situação de guerra.

Como a tensão pessoal, a tensão interpessoal faz parte da vida; ela começa com os irmãos disputando a afeição dos pais e se prolonga na escola no que se refere aos primeiros lugares nos exames; ela é um estímulo de progresso, mas a cooperação o é muito mais.

Devem ser evitadas as tensões interpessoais de resultados negativos nas organizações fixando claramente as atribuições das pessoas e dos órgãos a fim de que, ao fixarem os seus objetivos, o façam em áreas diferentes. Se houver interesse em competição, que esta seja claramente regulamentada e controlada.

6. Obstáculos no caminho do alcance dos objetivos

Ao querermos tomar um trem ou avião, se surge um contratempo, atraso ou cancelamento, a tensão cresce de tal forma que se transforma em reações diferentes conforme os temperamentos: angústia, agressão, procura de solução, autoacusação, crise nervosa. Então estaremos diante de uma situação de frustração.

Evitar tensões inúteis em situação de frustração pode ser feito graças a medidas preventivas: Prever todas as situações possíveis de serem previstas, todas as situações "futuríveis", isto é, todas as situações previsíveis para o futuro. Em outras palavras, preparar-se para o pior. Isto se faz através de planejamentos que aplicam a regra da flexibilidade: sempre prever as coisas com prazos maiores do que o necessário de tal modo que, se se acabar antes, ter-se-á uma sensação agradável de surpresa e evitar-se-á a tensão dos imprevistos.

7. Tensão posterior a uma decisão em relação à escolha entre vários objetivos

Quando temos que escolher entre várias alternativas, entre vários objetivos, e quando estes objetivos têm uma força de atração para nós equivalente, e que além disto temos que tomar uma decisão para escolher o objetivo mais adequado, entramos em situação chamada de dissonância cognitiva. Por exemplo: Se ao comprar uma geladeira decidimos comprar uma das inúmeras que nos foram mostradas por ser mais barata, mas sabendo que uma um pouco mais cara tinha qualidade superior, entraremos em tensão posterior à decisão de compra; a dúvida será: "Se tivesse comprado a mais cara e feito um certo sacrifício financeiro talvez eu tivesse uma geladeira mais durável; será que a minha vai dar defeito?" O mesmo acontece quando um homem, que teve uma namorada que rejeitou por ser feia, porém de caráter doce e meigo, casou-se com uma mulher muito bonita, mas geniosa.

Analisar e ponderar antes de tomar uma decisão e aceitar de antemão os seus riscos é um meio de evitar a dissonância cognitiva.

8. Conflito entre os objetivos das pessoas e os objetivos da organização

Talvez esteja aí uma das maiores fontes de tensão. Com efeito, todo administrador se encontra diante do seguinte problema e não há um passo que ele dê, não há uma decisão que ele tome em matéria administrativa, sem que, conscientemente ou não, tome posição diante da seguinte escolha: Atingir os objetivos da organização ou atingir os objetivos das pessoas que trabalham nesta organização?

Toda organização tem objetivos a cumprir, como por exemplo: servir ao público, ter boa rentabilidade, produzir bens, atingir boa qualidade.

As pessoas que trabalham na organização também têm objetivos a alcançar, como por exemplo: comer, abrigar-se, ter prazeres, evoluir, realizar-se, sentir-se útil, ver reconhecido o seu mérito e esforço.

Nem sempre os objetivos da organização coincidem com os objetivos das pessoas; é justamente nestes casos que surgem os conflitos e as tensões.

O administrador tem cinco grandes alternativas diante deste problema, pelo menos cinco principais, pois há outras ainda, mas isto nos levaria muito longe; cada uma tem um tipo de tensão diferente:

1) Dar o máximo de atenção aos *objetivos da organização* e o mínimo de atenção aos objetivos da pessoa, o que caracteriza a direção *autocrática*.

Neste estilo de abordagem do problema administrativo, o dirigente alivia de imediato as suas tensões, pois ele manda que cada objetivo seja cumprido sem discussão, isto é, sem tensão para ele... em aparência. Na realidade está ele sujeito posteriormente a sentimentos de culpa das agressões que cometeu. A longo prazo ele prepara tensões devidas aos revides indiretos do seu comportamento: apatia, passividade, greve do zelo, greve tartaruga. As suas agressões se comunicam aos membros da organização criando tensões interpessoais e conflitos, os quais se estendem até a clientela.

2) Atitude contrária consiste em dar o *máximo de atenção* aos objetivos das pessoas e o *mínimo de atenção aos objetivos da organização*. É o comportamento *paternalista*. Em troca de favores, presentes e comodidades, espera gratidão e sobretudo evita tensões e conflitos. Na realidade a gratidão não aparece.

3) Existem também a atitude de dar o *mínimo de atenção às pessoas e à organização* que é característica da *burocracia* em que se aplicam os regulamentos para se defender contra acusações e fazer uma carreira tranquila. Existe também tensões neste tipo de direção, provocadas pela lentidão, baixa produtividade, ausência de iniciativa, etc.

4) *Conciliar os interesses das pessoas e da organização* leva às tensões e dissabores da barganha e da diplomacia, em que o objetivo é a conciliação dos interesses. Como há, neste caso, sacrifício de ambos os lados, há tensões e insatisfação de todos.

5) *Dar o máximo de atenção aos objetivos da organização através do máximo de atenção aos objetivos das pessoas*, através de uma liderança e trabalho em equipe. Neste caso se trata de, em todas as situações empresariais, conseguir uma participação consciente, ativa e efetiva nas decisões em todos os graus de hierarquia, estimulando-se mais especialmente poderosas motivações como a de se desenvolver, progredir, ver reconhecido o esforço pessoal e ter a satisfação do trabalho bem feito. Todas estas motivações são geradoras de tensões, mas com o alcance de objetivos comuns das pessoas e da organização. Podemos, aqui, falar em tensões positivas.

9. Conflito de objetivos ligados a papéis antagônicos

Todos nós exercemos papéis diferentes em momentos diferentes da vida: somos pai ou mãe dirigindo a família em casa, somos chefe dos nossos subordinados e subordinados dos nossos chefes, fazemos o papel de amigo, condutor de automóvel, torcedor de futebol, etc.

Acontece muitas vezes que os objetivos ligados a estes papéis entram em conflito. Isto pode-se dar na mesma pessoa, como por exemplo a tensão interna provocada no chefe que tem que dispensar um amigo: há o conflito entre o objetivo de agradar ao amigo ligado ao papel de amigo, e o objetivo de obter maior produtividade ligado ao papel de chefe.

O conflito pode-se dar também entre pessoas diferentes; entre o papel de chefe de estocagem e o de chefe de *marketing* quando um quer vender uma mercadoria que o outro esqueceu de renovar, por exemplo.

Pode-se evitar, em grande parte, as tensões ligadas aos conflitos de papéis cultivando a consciência do que a gente está fazendo e deixando bem claro, para si mesmo e para os outros, quais os objetivos de cada um, prevendo-se os riscos do conflito e analisando-se as alternativas antes que ele aconteça.

10. Tensão entre a nossa formação moral e os nossos instintos, isto é, entre o objetivo de desfrutar dos prazeres e o objetivo de atender aos padrões e imperativos da sociedade

Cada vez que uma pessoa que teve uma formação moral rígida quiser desfrutar de um prazer comum da vida dentro de uma certa fartura cairá ela num estado de tensão chamado de sentimento de culpabilidade. Cria-se um estado de tensão entre o seu superego e os seus instintos, entre a criação que recebeu e a natureza que está nele. Tais situações são frequentes. Vamos citar algumas: ir tomar um chope ou dar um parecer num dossiê a pedido do chefe, em um domingo. Fazer declarações a uma mulher para conquistá-la, sem realmente sentir o que se fala; ir conversar com colegas na hora do trabalho; jurar fidelidade a duas mulheres ao mesmo tempo; recusar a dar uma explicação ao nosso filho porque estamos jogando buraco com colegas.

Evitar estas tensões consiste em realizar uma operação que poderíamos chamar de administração de nós mesmos: ser "maduro" (se é que existe tal pessoa) consiste em tomar a si mesmo na mão, ser consciente da exis-

tência e origens dos nossos conflitos, reconhecer que o instinto existe e satisfazê-lo sem prejudicar a si mesmo nem aos outros, evitando a culpabilidade. Uma vez mais trata-se de analisar os fatos reais antes de tomar uma decisão. É toda uma aprendizagem que constitui objetivo principal da psicanálise.

11. A procura de culpado durante a consecução dos objetivos

Como dificilmente admitimos termos culpa de algo, temos uma tendência inconsciente a nos defender desta cul-

pa, culpando os outros; também a tensão da culpa é mais suportável se encontrarmos colegas também culpados.

Já o primeiro livro da Bíblia registra essa tendência tão humana – em Gênesis 3 lemos que, quando o Senhor indagou de Adão o motivo da sua desobediência, este imediatamente culpou "a mulher que me deste por companheira", tentando, assim, jogar a responsabilidade sobre a esposa, e mais sutilmente sobre aquele que lha destinara por mulher. Eva, por sua vez, diante da mesma pergunta, apontou a serpente – que não apontou para mais ninguém, talvez por não ter dedo...

Cada vez que surge um problema na organização, há uma tendência espontânea a procurar "culpados". Esta atitude de "crítica moralizante" provoca as tensões angustiantes contra as quais os candidatos à culpa se defendem da seguinte forma: defesas através do raciocínio ou racionalizações, defesa burocrática atrás dos regulamentos, dependência da autoridade (ninguém toma iniciativas por medo de levar a culpa), procura de bode expiatório (o mais fraco leva a culpa), greve, obediência passiva, hostilidade e agressões, fuga em outro emprego ou atividade de refúgio. Enquanto isso os problemas continuam sem solução.

Dentro de um ambiente de culpa só se encontram pessoas tensas e que se defendem. Dentro de um ambiente de procura de causas é possível encontrar soluções para os problemas administrativos com o mínimo de tensões negativas.

Só num ambiente aberto de "crítica científica" em que se procura as causas e não a culpa, como é o caso da "crítica moralizante", em que os próprios interessados removem as causas de erros, é que se poderá evoluir mais depressa e melhor. Isto exige evolução da própria humanidade que, embora tenha desenvolvido em certas áreas privilegiadas este espírito de autocrítica científica, na sua maior parte ainda está mergulhada nas trevas do que um psicanalista francês chamou de *universo mórbido da culpa*.

11

Soluções aos problemas

Os psicólogos que trabalham junto aos colégios ou às empresas industriais ou comerciais, ou os conselheiros matrimoniais, costumam, antes de dar os seus pareceres ou de entrar em ação, dividir o trabalho em diferentes fases:

- Levantamento dos problemas de relações humanas.
- Estudo dos problemas e das suas causas.
- Procura das soluções.
- Resolução prática do problema.
- Controle da eficiência da solução.

Iremos, a seguir, estudar os diferentes tipos de solução dos problemas de relações humanas.

1. Discussão dos problemas em grupo

O líder, quando nota que no seu grupo surgiu um problema que pode afetar ou que já afetou as boas relações entre os membros do grupo, reúne-o em mesa-redonda.

Os efeitos de tais reuniões, quando o líder é bem treinado, são vários:

a) Provoca um *alívio geral*, pelo fato de cada um descarregar os seus problemas; há um *desabafo* geral, uma "catarse", como dizem os psicanalistas.

Esta libertação coletiva da afetividade pode ser do medo, por exemplo: cada um reconhece que está com medo de ser despedido, de ver o outro tomar o seu lugar, de não ser promovido, de ver aumentar o custo de vida sem aumento do ordenado, de receber castigo dos professores, de ser enganado, etc.

O líder pode também receber cargas agressivas, verdadeiras explosões de raiva, tais como: irritação de ver admitidos novos empregados com salários iniciais maiores que o dos antigos; de nunca ser consultado o grupo sobre assuntos do seu interesse; de ter de fazer fila na hora de assinar o ponto; de ser descontado por atraso de 5 minutos, enquanto que trabalha várias horas além do expediente, a pedido do chefe; de receber o mesmo ordenado, se produz 20 ou 100 peças; de receber grande número de críticas, mas nunca um elogio; de ter pouco tempo para as refeições, etc.

b) Produz um *clima social* de confiança em torno do líder. Mesmo se este não pode, pela limitação da sua própria liberdade, resolver os problemas do grupo, terá mostrado que é capaz de compreender cada um dos seus membros.

As técnicas de discussão em grupo devem ser treinadas pelo líder com qualquer outro processo de trabalho; certos aspectos, como o da catarse, foram emprestados dos processos de psicoterapia de grupo.

São indispensáveis reuniões periódicas de coordenação para evitar o acúmulo de problemas entre os membros dos grupos.

2. Mudança de ambiente

Um grupo que está sofrendo, por exemplo, desentendimentos entre alguns de seus membros, poderá, em ambiente de excursões, passeios, esportes, encontrar novos motivos de amizade, suficientemente fortes para superar posteriormente dificuldades criadas no ambiente de trabalho.

3. Assistência do psicólogo, do médico e do assistente social

É muito difícil, para um chefe, conhecer a fundo todos os seus empregados, e, para um professor, todos os seus alunos.

Chamou-nos, um dia, uma empresa de mecânica, na França, para estudar um conflito sério que tinha surgido entre um mestre e um operário; o mestre se queixava de que o empregado recusava sistematicamente seguir as suas instruções. Submetemos os dois a testes psicológicos e verificamos que, se do lado do mestre não havia nada de especial, o mesmo não ocorria com o operário. Passando um relógio ao lado de cada uma das duas orelhas e perguntando de que lado estava o relógio, notamos que o empregado era surdo: o que era tomado como desobediência e falta de disciplina era simplesmente surdez. Explicamos o fato ao mestre, que se mostrou mais compreensivo.

Para resolver problemas de relações humanas, procede-se a exame psicológico completo que compreende[5]:

a) Testes de inteligência, para verificar qual o seu grau (superior, médio, inferior).

b) Testes de aptidão (para números, para palavras, para mecânica, para música, etc.).

c) Testes de memória e de atenção.

d) Técnicas para investigação da personalidade. Estas técnicas são importantes nas relações humanas, pois, além de revelar se o indivíduo examinado é tímido ou agressivo, sociável ou reservado, etc., nos indicam se estes traços fazem parte da constituição da pessoa ou se são momentâneos ou adquiridos através da educação.

É incrível verificar como pode mudar o clima social de um grupo, após a passagem de um psicólogo que explicou a cada um as suas razões de agir e a maneira de evitar conflitos com os outros.

---

5. Cf. tb. *Manual de psicologia aplicada*, do mesmo autor.

Os chefes e diretores de empresas costumam declarar-nos: "O senhor sabe? Agora, com os seus relatórios psicológicos e depois das suas reuniões, estou compreendendo muito melhor os meus homens, que demonstram ser meus amigos".

Quando existe o Serviço Social de grupo na empresa, o trabalho do psicólogo acha-se muito facilitado, pois a sua função é a de levantar os problemas de relações humanas e criar – através das atividades recreativas e de ajuda na resolução dos problemas individuais (alimentação, medicina, habitação, direito) – melhor compreensão entre os membros do grupo.

No caso de os problemas de relações humanas provirem da presença de neuróticos dentro do grupo, será indicado o tratamento psicoterápico do interessado, com a colaboração do médico-psiquiatra. Existem, por exemplo, indivíduos desagradáveis e agressivos, mas que não sabem que são assim, que acham este comportamento perfeitamente natural. Uns agem assim por imitação inconsciente dos pais; outros são irritados porque as suas glândulas funcionam mal; neste caso, o tratamento médico restabelecerá a calma no grupo através da cura do indivíduo. Outros, ainda, são e serão sempre agressivos; precisarão ser transferidos para funções onde o que foi defeito num grupo se torna qualidade no outro; poderão ser militares, chefes de polícia, caçadores, mestres de educação física e poderão canalizar o excesso de energia em atividades socialmente úteis.

4. Psicodrama

Em certos casos de grandes crises, ou para preveni-las dentro das equipes de trabalho, é utilizada uma nova técnica, provinda da psicoterapia: o psicodrama[6].

Se nos apresentarem, por exemplo, o problema de solucionar uma briga surgida entre dois membros de um

---

6. Cf. *Psicodrama*, do mesmo autor.

grupo, convidamos duas pessoas estranhas para reconstituir a cena, aproveitando da situação a fim de mostrar aos dois contendores que havia outras soluções para a desinteligência.

É frequente, também, trocar as tarefas executadas no trabalho por duas pessoas em conflito; por exemplo, o empregado toma o lugar do chefe e este toma o lugar do empregado: cada um aprende a ver do ponto de vista do outro.

Através do psicodrama consegue-se maior aproximação das pessoas e, sobretudo, melhor compreensão mútua; também se verifica que os motivos de receios e de agressões são, em geral, produtos de pura imaginação.

O psicodrama poderá também ser utilizado para o treinamento do pessoal em vários ramos, como o comércio, nos seus setores de venda, e na liderança de grupos de adultos e de crianças.

As observações das reações e respostas dos atores são, após o psicodrama, cuidadosamente analisadas e explicadas pelo psicólogo aos interessados.

5. Medidas econômico-administrativas

Há uma série de medidas elementares a tomar na direção de qualquer grupo organizado.

Vamos indicar algumas, mostrando em seguida os problemas de relações humanas que podem ser evitados.

Medidas	Vantagens
Explicar cuidadosamente o regulamento, os dispositivos legais, o regimento interno, insistindo-se sobre os direitos e os deveres do indivíduo diante do grupo.	Evitar discussões intermináveis entre interessados e a direção quanto aos direitos e deveres de cada um.
Descrever, minuciosamente, as tarefas a serem executadas, por cada um, e pô-las explicitamente nos compromissos escritos.	Evitar que cada um faça coisa diferente da que deve, entrando assim em conflito com os companheiros. Evitar que o indivíduo recuse fazer uma tarefa porque ignorava que tinha essa obrigação.
Dar salários proporcionais à produção e ao custo de vida.	Interessar o membro do grupo em produzir. Evitar conflitos periódicos sobre aumento de ordenado.
Apresentar os novos companheiros a todos os membros do grupo ou de outros grupos correlatos, descrevendo os seus títulos e experiência, e mostrando as vantagens, para o grupo, deste ou destes novos companheiros.	Criar ambiente de compreensão para o novo membro do grupo.

Descrever minuciosamente ao recém-chegado as funções de cada membro do grupo e quais as relações que terá com eles.	Fazer sentir a responsabilidade do novato para com os outros. Evitar que ele tome iniciativas que não lhe competem.
Mostrar as diferentes funções de chefia e direção, os diferentes líderes, com a hierarquia existente; explicar com quem deverá entender-se em caso de dificuldade.	Evitar magoar um chefe, passando por cima de sua autoridade.
Fazer o exame psicotécnico dos candidatos a emprego ou dos novos empregados, estabelecer a sua ficha individual, onde serão anotados, além de seus antecedentes, as suas aptidões e as observações feitas durante o trabalho.	Dar critérios objetivos para promoções. Evitar admissão de novos membros ao grupo, que não tenham as qualidades necessárias para a função, criando atritos com os companheiros e a direção.
Explicar quais os critérios adotados, para promoção e melhoria de vencimentos, no caso em que o trabalho em grupo seja remunerado.	Evitar que o empregado se sinta prejudicado por se ver injustiçado no caso de outros serem promovidos e não ele.
Criar comissões de relações humanas para propor soluções aos problemas, comissões compostas de empregados, alunos, etc.	Diminuir a distância social entre o chefe e os empregados, o diretor e os alunos, o diretor do hospital e os doentes, etc.

6. Obediência às regras de higiene mental

A fadiga durante o trabalho ou durante as reuniões do grupo provoca certa excitação nervosa que torna agressivos muitos indivíduos. Repousos periódicos e intercalados são indispensáveis.

7. A motivação dos membros do grupo

Cabe ao líder, quer seja professor quer dirigente de grupo, estimular os membros do conjunto.

Existem vários tipos de estímulo, os quais criam motivos de interesse ou motivação.

a) Os *louvores*, sobretudo públicos, dos feitos individuais têm a vantagem de fazer sentir que o esforço individual não é vão.

b) A *emulação* aumenta, se bem orientada e controlada, a produção de dois grupos em competição.

Praticada, porém, entre os indivíduos, apresenta inconvenientes sérios; numerosos são os educadores e chefes de equipe que, entusiasmados pelo aumento do rendimento (notas, peças fabricadas, etc.) provocado pela emulação entre os membros do grupo, têm sistematizado o processo sob forma de quadro de honra, classificação mensal dos alunos ou empregados, etc. Após algum tempo, surgem problemas de relações humanas provocados pelos ciúmes, rivalidades e sentimentos de injustiça. Além disto, acentua o complexo de inferioridade dos menos capazes.

c) Os *prêmios* têm o mesmo efeito que os louvores, mas devem, evidentemente, ser distribuídos proporcionalmente ao esforço de cada um.

No caso de empresas, são recomendáveis a comissão sobre as vendas e o salário proporcional à produção do operário.

d) O *conhecimento do resultado* do esforço pessoal e dos progressos realizados por cada um dos membros do grupo é, ainda, o método mais interessante.

Cada um dos alunos, aprendizes ou trabalhadores registra, sob forma de gráfico, a curva das suas notas ou de sua produção horária, diária, semanal, mensal ou mesmo anual.

Dinâmica de grupo e intervenção psicossociológica

A Dinâmica de Grupo é uma nova disciplina da psicossociologia. A partir dos seus estudos foram elaboradas várias técnicas de análise da vida dos grupos e da interação dos seus membros.

Sessões de dinâmica de grupo, conhecidas no Brasil sob os nomes de T. Group, DRH (cf. o nosso livro sobre o assunto), grupo de sensibilização ou mesmo laboratório de sensibilização, são organizadas para preparar as pessoas a enfrentar e resolver melhor problemas de relações interpessoais. Sob orientação de um ou vários psicólogos, grupos de pessoas se reúnem e analisam as suas reações e interações. Aprendem a saber como são vistas pelos outros, como as suas palavras repercutem nas outras pessoas, como evolui um grupo, quais as barreiras nas comunicações.

Quando estas técnicas são utilizadas no próprio ambiente de trabalho, permitem analisar as causas de conflito e mais especialmente vem à tona aquilo que todo mundo pensa, mas ninguém quer dizer. Tais medidas tomam o nome de intervenção psicossociológica.

Resultados obtidos foram controlados cientificamente: maior sensibilidade nos contatos interpessoais, menos egocentrismo, melhores comunicações, maior capacidade de enfrentar conflitos, maior franqueza sem magoar, são, entre outros, os benefícios observados.

Conforme os leitores puderam sentir, o estudo do fator humano e a profilaxia dos problemas de relações humanas são bastante complexos e necessitam de longa experiência, de preparo cuidadoso e, sobretudo, de profundo respeito ao próximo. Graças à orientação psicológica do pessoal e dos dirigentes, adaptação do trabalho ao homem e vice-versa e a manutenção de um programa de relações humanas dentro das empresas, é possível valorizar o homem pelo trabalho, evitando que se torne um autômato, revoltado ou insatisfeito; é preciso transformar o seu trabalho, quer dizer, a metade de sua vida, em algo que lhe dê felicidade e equilíbrio pessoal. Muito contribuirá para construir uma sociedade sadia, uma vida de trabalho baseada no espírito de cooperação e no respeito à pessoa humana.

Não basta, no entanto, programa exemplar de relações humanas no trabalho se os trabalhadores, dirigentes e dirigidos não tiverem paz no lar.

Por isso passaremos a tratar das relações humanas na família.

Parte II
Relações humanas na família

Introdução

Antigamente, quando uma moça chegava à idade de casar, os pais lhe procuravam um marido e, sem consultá-la, decidiam o casamento.

Nos países evoluídos, esta maneira de resolver o futuro conjugal de uma pessoa está desaparecendo completamente. Cada qual escolhe o noivo que quer com toda a liberdade.

Infelizmente, o homem moderno nem sempre sabe utilizar esta liberdade para tornar-se feliz e os casais se formam sob a influência do acaso, em bailes, cinemas, nos *footings* ou nos bares. Se é verdade que muitos dos casais assim formados alcançam certo grau de harmonia e felicidade, numerosos, também, são os que, mais cedo ou mais tarde, desintegram-se emocionalmente, divorciam-se ou, mais simplesmente, separam-se.

Para formar um lar harmonioso não basta que as pessoas se apaixonem mutuamente. O casamento é algo de complexo, no qual dois seres formados, na maioria das vezes, em famílias, escolas e mesmo em cidades diferentes, têm que viver juntos até à morte, dividindo entre si as alegrias e os reveses, descobrindo aos poucos e tolerando os defeitos de cada um, criando e educando os filhos e trabalhando para poderem viver e prosperar.

Por que certos casais têm êxito nessa missão e outros fracassam? Quais as condições para se criar a harmonia conjugal? Como escolher um noivo ou uma noiva com maior probabilidade de criar um lar feliz? Qual o temperamento, o tipo físico, a idade, as condições de educação que se adaptam melhor ao casamento? Existe, realmente, o casal ideal? Quem deve mandar no lar? Como resolver problemas conjugais angustiantes, tais como a desarmonia sexual ou a incompatibilidade de gênios?

São estas e outras perguntas a que iremos tentar responder[7].

Não é possível prevenir e resolver tantos problemas e ajudar o leitor a fazê-lo sem conhecer, um pouco, da psicologia do homem e da mulher, sem saber em que se assemelham e no que diferem. É por isso que iniciaremos expondo quais são, em relação ao matrimônio, as características principais dos dois sexos. Depois daremos algumas explicações sobre as razões da simpatia e antipatia entre homem e mulher.

Após ter tratado do namoro e do noivado, passaremos a expor os diferentes aspectos da vida matrimonial, des-

---

7. Cf. tb. o livro do mesmo autor *Amar e ser amado*.

crevendo tipos de cônjuges, tratando das relações e dos conflitos entre a vida profissional e familiar, dando alguns princípios gerais aos maridos e às esposas para serem mais felizes; mostraremos, também, que o casamento não é, simplesmente, a consequência de uma assinatura, mas um reajuste permanente de posições, opiniões, sentimentos, para o qual são necessárias paciência, dedicação e muita compreensão mútua. Após ter falado nos passatempos e nas relações com amigos do casal, iremos expor alguns problemas conjugais indicando como resolvê-los, ou, se isto não for possível, como evitá-los.

Muitos são os jovens casais a pensar que os filhos se criam por si sós e que basta dar comida, cama para dormir e colocá-los na escola para serem bons pais.

Os que já têm filhos ou mesmo netos sabem quanto é difícil a tarefa dos pais, sobretudo das mães; surgem problemas diários, na sua maioria de difícil solução.

Iremos aqui expor certos tipos de problemas que são justamente os mais numerosos e os mais delicados; são os das relações humanas entre pais e filhos.

Estas relações podem realizar-se com ternura, compreensão, diplomacia e firmeza; quando isto acontece, ter-se-á muita probabilidade de encontrar filhos calmos, equilibrados e mentalmente sadios.

Mas quando há brutalidade, inquietude, relaxamento, incompreensão e impaciência por parte dos pais, estes não se devem admirar se os seus filhos são malcriados, irrequietos, coléricos, impossíveis, rebeldes, medrosos, mentirosos, quando não chegam à delinquência.

Por outro lado, o excesso de carinho e mimo demasiado conduzem a desvios da personalidade tais como: extrema passividade, indiferença e insatisfação permanente.

Da atitude dos pais perante os filhos depende, por conseguinte, em grande parte, o equilíbrio e a felicidade interior destes. Mas não é só isto.

A educação, dizia o grande psicólogo suíço Claparède, é como um terno ou um vestido: tem de ser feita "sob medida". As relações humanas entre pais e filhos têm também de ser feitas sob medida; serão diferentes na primeira infância, quando a criança tiver dois anos, ou na adolescência, quer dizer, entre os doze e os dezoito anos; há, por conseguinte, necessidade de conhecer bem as características destas idades a fim de poder adaptar as suas atitudes a elas.

Problemas de relações humanas são também os das recompensas e das punições, os das relações com os filhos maduros, com os que pretendem casar, com os casados; interessante é também conhecer quais devem ser as relações entre avós e netos, a fim de evitar erros tão frequentes como o do mimo excessivo.

Será indispensável saber qual deve ser a atitude dos pais frente a certos problemas dos filhos, como o medo, a timidez e a má-criação.

A influência do parente de sexo oposto, como da mãe sobre o filho e do pai sobre a filha, não pode ser deixada de lado, assim como o grave problema da educação sexual, indicando-se as soluções mais aconselháveis para cada idade.

O temperamento dos pais tem também grande influência sobre os hábitos e atitudes dos filhos; pai explosivo terá um tipo de filho diverso do de um pai indiferente ou excessivamente tímido; do temperamento dos pais resultará o ambiente familiar, cuja influência é importantíssima sobre o desenvolvimento da criança.

São todos estes problemas que iremos estudar neste capítulo sobre relações humanas na família; falaremos numa linguagem bastante acessível, de modo a ser compreendida por todos os leitores; esperamos, assim, contribuir para que cada um dos pais que lerem este trabalho pense melhor sobre a sua responsabilidade na formação da personalidade de seus filhos.

I

Psicologia do homem e da mulher

1. Condições para viver feliz

A condição indispensável para viver harmoniosamente com qualquer pessoa é conhecê-la bem, a fim de poder sentir como ela sente e "colocar-se no lugar dela".

Para que os maridos se entendam bem com as esposas e vice-versa é também necessário que cada qual conheça os traços inerentes ao homem e à mulher.

Na verdade, a maioria dos desentendimentos matrimoniais advém de quererem os homens que as mulheres pensem e sintam de maneira masculina, enquanto as mulheres não compreendem as necessidades e a maneira de ser dos homens.

Agem como se não houvesse diferença entre os dois sexos.

Ora, está comprovado que essas diferenças existem não somente no plano fisiológico, mas também no plano psicológico, quer dizer, do pensamento, da atividade, do temperamento e do caráter, das tendências e dos interesses.

2. Quem é mais inteligente? O homem ou a mulher?

Justamente onde não há diferença alguma é no plano em que muitos homens estão convencidos de que a mulher tem inferioridade. Queremos referir-nos à inteligência.

Pelas numerosas experiências feitas no mundo inteiro, por grandes psicólogos, ficou comprovado que a mulher tem exatamente o mesmo grau de inteligência que o homem. Ainda recentemente, o autor destas linhas teve a oportunidade de verificar no Brasil leve superioridade da mulher, por ter ela maiores oportunidades de estudar. – O que há, na realidade, é uma maneira diferente de pen-

sar e de entrar em contato com o mundo exterior. Enquanto o homem utiliza sobretudo a razão e procura raciocinar em torno dos fatos, a mulher utiliza a intuição procurando sentir a realidade. Por exemplo, no momento de tomar contato com uma pessoa, uma mulher diz ao marido: "Este homem não gosta de você!" O marido responde: "É um grande amigo. Isto é imaginação sua!" E esperou um ano para constatar que, realmente, sua esposa tinha razão.

Quando uma mulher olha para a roupa de outra mulher acha, imediatamente, os defeitos da blusa, da costura, da gola, ou uma meia desfiada. Seu marido, olhando para a mesma mulher, poderá dizer se é elegante ou bonita, observando a harmonia do conjunto. Enquanto a mulher fixa os detalhes, o homem percebe o conjunto.

Está, também, comprovado que, enquanto a mulher tem maior facilidade para falar e escrever, o homem possui maiores aptidões para a mecânica, ciência e abstrações, como, por exemplo, a matemática.

Essas diferenças intelectuais se refletem na escolha das profissões. As mulheres denotam mais tendências para abraçar profissões de contato com o público, como vendedoras, telefonistas, ou professoras.

3. Personalidade do homem e da mulher

Pela sua própria natureza, fisicamente mais débil que a do homem, a mulher sente necessidade de alguém que a proteja. Por seu lado, muitos homens sentem grande prazer em assumir atitudes protetoras; nada mais significativo que a posição natural dos casais de namorados sentados num banco; ele a enlaça com seu braço forte, enquanto a mulher se aninha em seu peito, em atitude de quem procura refúgio.

Enquanto a mulher sente bem-estar nesta situação, o homem sente verdadeiro prazer em sua posição de protetor.

Característica inerente à mulher é, também, a necessidade que tem de atrair a atenção sobre si, de ser admirada. Utiliza para isto todos os artifícios chamados, justamente, de femininos: elegância, maquilagem, maneira de andar, sorrisos e olhares. Influenciado pela atração da mulher, desperta-se, no homem, a necessidade, também inerente à sua pessoa, de conquistá-la, o que consegue, muitas vezes, justamente através da admiração das vantagens exibidas pela mulher para aquele fim. No entanto, o desejo de ser admirado existe também no homem, que difere, neste particular, do sexo oposto apenas pelo alvo

dessa admiração. Enquanto a mulher procura, sobretudo, realçar sua beleza, o homem quer afirmar sua força, sua inteligência e sua capacidade profissional.

É no plano sexual que as diferenças de atitudes, de comportamento, entre o homem e a mulher, são mais acentuadas. Não devem essas diferenças ser silenciadas, pois é, justamente, sua ignorância que ocasiona, neste plano, os maiores dissabores entre os casais. Adiante voltaremos ao assunto.

A maior diferença psicológica entre o homem e a mulher reside ainda no instinto maternal, que constitui um dos maiores motivos e razão de viver da mulher.

O desejo de ter filhos, de criá-los, de alimentá-los, de protegê-los, explica a necessidade que têm as mulheres de ter estabilidade através do casamento. Na realidade, a mulher quer muito mais que isto, e suas ambições são mais profundas que o simples desejo de ter dinheiro ou assinar um papel. O que elas querem é, através do casamento, conseguir segurança e garantia suficientes para poder criar os filhos de maneira tranquila e contínua.

Quase todo o comportamento da mulher diante do homem tem sua explicação final neste desejo de estabilidade para satisfazer o instinto maternal. Quando resiste ao homem, depois de o ter atraído, quer ela saber se é realmente amada e se pode realmente confiar no pretendente. Quer saber se ele realmente poderá dar-lhe estabilidade e proteção necessárias.

Satisfeito o desejo de ser admirada e convencida de que poderá ter a proteção e a estabilidade necessárias à criação dos filhos, a mulher aceitará facilmente os diversos sofrimentos provenientes de sua condição de mulher,

de mãe e de esposa. Essa é outra diferença entre o homem e a mulher; ela, para chegar à satisfação de seus instintos fundamentais de mulher, tem que passar pelo sofrimento e pelo sacrifício, que nada mais são, provavelmente, que uma barreira imposta para estimular a mulher a cercar-se de todas as garantias possíveis antes de tomar o caminho do casamento.

Resumindo, e a fim de facilitar ao leitor melhor compreensão do que acabamos de expor, damos, na página seguinte, um quadro no qual colocamos uma lista dos principais traços inerentes ao homem e à mulher.

Alguns traços característicos dos dois sexos

Homem	*Mulher*
Razão e raciocínio	Intuição e sentimento
Inteligência abstrata	Inteligência concreta
Percepção do conjunto	Percepção dos detalhes
Atividade profissional	Atividade doméstica
Todas as profissões	Profissões sociais, educacionais, domésticas
Predomínio da força	Predomínio da beleza
Conquistar	Atrair
Proteger	Ser protegida
Ser admirado pela sua força e seu valor	Ser admirada pela sua aparência
Desejo de satisfação sexual rápida	Desejo de receber afeto e carinho preliminarmente
Excitação localizada nos órgãos genitais	Excitação de todo o organismo
	Instinto maternal
	Necessidade de estabilidade, de segurança
	Aceitação do sofrimento

4. Há outras diferenças?

Antes de acabar este enunciado das diferenças fundamentais entre o homem e a mulher, convém ressaltar que damos aqui uma descrição muito geral, procurando apontar o que há realmente de comum na maioria dos homens e das mulheres. Todos os outros traços descritos como sendo especificamente masculinos ou femininos não foram considerados por nós nesta descrição porque ainda são muito discutidos. Por exemplo, a emotividade; a mulher seria mais emotiva que o homem; porém, quem mais desmaia no momento de uma operação é justamente o homem.

Também os traços acima descritos são considerados normais pela maioria dos psicólogos que estudaram o assunto, e se revelam assim numa sociedade estável e equilibrada. É provável que a evolução da civilização moderna, que muitos consideram como decadente, faça com que as características consideradas do homem ou da mulher mudem; isto se faz, a nosso ver, em prejuízo de equilíbrio dos

lares e da sua finalidade: a criação dos filhos e a perpetuação da espécie. Vamos citar alguns exemplos: a seca, a estiagem de certas regiões brasileiras, faz com que os homens tenham que deixar seus lares, viajar milhares de quilômetros para encontrar emprego. Muitos não voltam mais, criando novas famílias, enquanto as mulheres escolhem novos companheiros. Está violado o desejo fundamental da mulher que é o de ter um só companheiro para toda a vida, sendo que as crianças perdem o seu protetor.

Depois das duas guerras mundiais, criou-se o hábito de as mulheres trabalharem fora do lar. O resultado disto é que ninguém fica em casa para cuidar das crianças, que são confiadas às vizinhas, aos berçários, sem falar dos casos em que ficam sós em casa. Não se sabe até que ponto isto é a causa da diminuição do nível moral da juventude, aumento da delinquência e da instabilidade progressiva dos moços.

Como conclusão, queremos deixar bem claro que o que a tradição considera como casamento normal e feliz é a fusão, como se fossem num só ser, destas diferenças, de tal maneira que a intuição corrija as deficiências da razão, e vice-versa; o marido ganha a vida para dar segurança e continuidade ao lar no qual a mulher cuida dos filhos, satisfazendo assim seu instinto maternal e, enfim, no plano físico do amor, o homem saiba adaptar-se às necessidades da personalidade de sua esposa. Dar de si antes de pensar em si, eis a verdadeira fórmula de felicidade conjugal.

5. Uma civilização em mudança

Tudo ou quase tudo o que descrevemos aqui, no que se refere à vida matrimonial, é uma descrição da vida conjugal tal qual é vista pelo que poderíamos chamar de brasileiro da classe média. É assim que ele vê o amor e o casamento.

Acontece que estamos vivendo numa civilização em mudança rápida. Esta mudança afeta fatalmente as relações matrimoniais e talvez até a existência do próprio matrimônio, pelo menos como ele é conhecido atualmente e descrito no presente livro.

Antes de continuar a nossa explanação alguns reparos têm de ser feitos.

1º) A evolução da civilização industrial tende a igualizar os sexos a tal ponto que muitas das diferenças descritas aqui tenderão a desaparecer.

2º) As pesquisas endocrinológicas e psicossociológicas colocaram em relevo a existência, tanto no homem como na mulher, de fatores masculinos e femininos, os quais se distribuem em proporções variáveis, conforme as identificações parentais e conforme a constituição somática. Esta dosagem tem influência muito grande na escolha de parceiro. Com a mudança da nossa civilização, há uma tendência à "masculinização" da mulher e talvez a uma certa "feminilização" do homem; os sexos pelo menos tendem a se igualizar. É difícil ainda dizer quais as repercussões de tais mudanças.

3º) A própria concepção do amor no casamento está evoluindo. Procura-se muito mais uma relação amorosa livre, isto é, isenta de possessividade[8], em que haja um respeito mútuo pela liberdade do parceiro. Uma relação em que nenhum dos dois serve de objeto de satisfação de necessidades, mas que seja um encontro existencial profundo, sempre renovável e renovado, tal como a vida e a respiração constantemente evoluem e se renovam.

A conjunção deste tipo de relação amorosa com o casamento como compromisso para a vida constitui um verdadeiro desafio da nossa civilização.

---

8. Cf. *Amar e ser amado*. Petrópolis: Vozes, do mesmo autor.

2
Namoro e noivado[9]

1. Por que as pessoas sentem atração ou repulsão?

Quando um rapaz e uma moça se encontram, estabelece-se entre ambos uma corrente de simpatia ou indiferença.

De onde provém essa corrente? Como se forma?

Muitos pensam que a simpatia entre os jovens é puramente atração sexual. Constituiria, assim, a primeira fase, de origem fisiológica, da união carnal no casamen-

---

9. Cf. tb. *Amar e ser amado*, do mesmo autor.

to. Não há dúvida que a atração sexual existe e influi, em grande parte, na simpatia entre as pessoas dos dois sexos, porém não basta para responder às seguintes perguntas:

Por que determinado rapaz não namora qualquer moça?

Por que esta jovem acha aquele rapaz antipático, enquanto a amiga tanto o aprecia?

As razões da simpatia e da antipatia são muito pouco conhecidas; só no início do século XX os psicólogos começaram a descobrir algumas razões que levam as pessoas a simpatizar ou antipatizar.

Um dia uma moça veio procurar-me porque estava com vontade de romper seu noivado. "Há algo em meu noivo que me irrita; além do mais vive gesticulando! Já lhe pedi várias vezes para deixar este hábito, mas ele continua". Fiquei surpreso com a futilidade da razão apresentada para o rompimento e perguntei quem mais costumava gesticular em sua família. Respondeu-me: "Meu irmão".

– E você se dá com seu irmão?

– Não, estamos sempre brigando!

Estava nesta resposta a chave do problema: por erro de educação, seus pais criaram os filhos fazendo constantes comparações, desenvolvendo um ciúme que veio a gerar a intolerância, e, quem sabe, até mesmo o ódio. Tudo que fazia o irmão era desagradável à moça, inclusive o hábito de gesticular; ela transferiu para o noivo um conflito que tinha com seu irmão, embora este nenhuma relação tivesse com aquele.

Da mesma forma, temos tendência a nos apaixonar por pessoas parecidas com amigos ou membros da família: é frequente o rapaz simpatizar com moças parecidas com a própria mãe, e moças se apaixonarem por rapazes com traços físicos ou mentais parecidos com os de seus pais.

Convém desconfiarmos muito de nossas simpatias e antipatias, e, sobretudo, do amor à primeira vista que, muitas vezes, nada mais é que uma coincidência de traços familiares nos dois namorados.

O amor à primeira vista é possível, também, em pessoas que se assemelham e que apreciam no outro os traços físicos ou mentais que elas mesmas possuem; nada mais fazem que se apaixonarem por si mesmas. Em geral, no momento de surgirem as diferenças individuais ficam decepcionadas e rompem o namoro. É o caso, por exemplo, do rapaz que se apaixonou por uma moça porque ambos tinham cabelos castanhos e olhos escuros e ela também gostava de camarões e churrasco. Entretanto, quando chegou o domingo, ele quis ir ao futebol e ela preferiu o cinema! Cada qual tratou o outro de egoísta, brigaram muito e nunca mais se encontraram.

Ora, foram, justamente, o egoísmo e o amor a si mesmo, ou narcisismo, os culpados desta situação; pessoas egoístas e narcisistas nunca encontrarão o companheiro ideal pelo simples fato de não existirem duas pessoas exatamente iguais e, portanto, serão eternos insatisfeitos.

Outro fator que influencia as simpatias e antipatias é a direção da atenção do rapaz quando encontra uma moça ou vice-versa. Certos rapazes prestam atenção apenas à beleza e à elegância da moça e só são atraídos, por conseguinte, por moças de aparência atraente, decepcionando-se quando descobrem que a namorada tem muito mau gênio ou gasta sem medir.

Outros procuram, imediatamente, os defeitos do parceiro. São eternos insatisfeitos, porque a atenção está concentrada apenas nos defeitos; se estivessem encarando as qualidades da mesma pessoa talvez simpatizassem com ela.

2. Por que existem namoro ou noivado?

A função do namoro é permitir aos candidatos ao casamento se observarem e se onhecerem melhor, desfazendo as ilusões do amor à primeira vista e verificar se a atração e a simpatia que sentiram quando se conheceram correspondem a uma realidade e se serão capazes de passar a vida juntos; pois uma coisa é passear conversando e namorando, outra é enfrentar as alegrias e decepções de toda uma vida matrimonial, tal como iremos descrever nas páginas seguintes.

3. O que a tradição recomenda quanto ao namoro

Existem, nos costumes brasileiros, certas normas seguidas pelas moças, a conselho dos seus pais ou educadores. Reproduzimo-las aqui, conscientes de que tais tradições estão mudando rapidamente, principalmente sob influência dos recursos anticoncepcionais e dos meios de combate às doenças sexualmente transmissíveis.

Eis os princípios tradicionais:

1º) Se o encontro com o rapaz tiver sido ocasional, procurar, por todos os meios que não magoem o rapaz, saber quem ele é, qual seu trabalho e seus passatempos.

2º) Não acreditar muito nas declarações de amor precipitadas; muitos rapazes só querem divertir-se à custa da dignidade das moças. O amor verdadeiro se demonstra muito mais por atitudes de admiração e respeito e por intenções honestas, comprovadas muito mais tarde, do que com palavras baratas e que nada valem.

3º) Evitar perguntar ao rapaz se ele quer casar, pois ele talvez ainda não a observou suficientemente para poder dar uma resposta; esperar que ele se pronuncie; de outra maneira arriscar-se-á a perdê-lo.

4º) Quando tiver passado o tempo suficiente para se conhecerem, e o rapaz não tiver ainda se pronunciado, procurar conhecer suas ideias sobre o casamento, mas sem que ele perceba a intenção; conforme a resposta, diminuir o número de encontros; isto talvez o leve a se pronunciar; do contrário, não vale a pena continuar o namoro, a não ser que o rapaz seja muito tímido e esteja com receio de uma recusa; neste caso será necessário demonstrar-lhe amor de maneira indireta, mas bastante clara, como, por exemplo, comprar pequenos presentes, ou perguntar se ele quer conhecer os seus pais. Esta última pergunta constitui, em geral, um ótimo teste para conhecer as intenções de um rapaz que já está namorando há muito tempo e que ainda não se pronunciou.

É evidente que uma moça pode ter amizades masculinas, sem que isto implique em intenções matrimoniais.

4. O noivado

O noivado é apenas a continuação do namoro, desta vez com o consentimento oficial dos pais e com o compromisso moral do noivo de casar; os noivos têm, em geral, mais liberdade que os namorados; devem aproveitá-la para melhor se conhecerem, ainda; o fato de o noivo almoçar e jantar na casa da noiva permite maior convívio e verificar se os temperamentos se associam.

A leitura do capítulo sobre os tipos de casais será de bom proveito para saber se o temperamento dos noivos e outras características combinam.

Se, durante o namoro ou mesmo durante o noivado, os interessados sentirem que não dão um para o outro, é

melhor protelar o casamento ou mesmo romper o compromisso; melhor um noivado rompido que um casamento fracassado.

Em geral, depois de seis meses a um ano de noivado, já se sabe se os noivos estão aptos. Não existem regras para sabê-lo; isto se sente pelas reações dos dois em presença um do outro, pela harmonia e comunhão de ideias e pela ausência completa de atritos; é bem verdade que tudo isto, às vezes, não basta, pois existem muitos casais infelizes, cujo noivado foi um paraíso.

Por isso, começam a surgir centros de orientação familiar, onde os noivos recebem os conselhos de médicos, psicólogos e assistentes sociais especializados, após terem sido devidamente examinados. Onde isto não existe, ainda convém, mesmo tendo a certeza de que "vai dar certo", pedir a opinião de pessoas que conheçam bem os dois e que tenham muita experiência da vida.

3
Casamento e vida conjugal

1. O casamento

Quando os noivos estão certos de que realmente foram feitos um para o outro, marca-se o dia do casamento; convém lembrar, a respeito deste dia, que, embora seja uma data importante na vida dos casais, não devem estes crer, pelo simples fato de terem tomado compromisso escrito de amarem-se para sempre, que isto vá, realmente, se dar; na realidade, a felicidade da vida em comum depende muito mais do que se passa depois do dia do casamento, que durante ou antes deste; os atos, as ideias, as atitudes e sentimentos de cada um repercutem diariamente no outro. Já a primeira noite do casamento é considerada por muitos como importantíssima para a harmonia dos cônjuges.

2. Relações sexuais no casamento

Um dos grandes erros da nossa época é confundir felicidade conjugal com harmonia sexual. Recentes pesquisas mostraram que nem todas as pessoas que fizeram cursos de relações sexuais e são mestres em "posições" eróticas são felizes. É preciso se lembrar que as relações sexuais representam apenas alguns minutos ou horas. E o resto do tempo?

O amor é uma união total, física, sentimental, intelectual e espiritual. Tratar só do aspecto físico do amor em tratados sobre a matéria é contribuir para a criação de uma geração de infelizes e insatisfeitos; é, aliás, o que está acontecendo com uma parte da nossa mocidade.

Feitas estas ressalvas, e colocada a vida sexual no seu devido lugar, importante, essencial, mas parcial, vamos expor o que pensamos sobre o assunto.

Já falamos há pouco que havia grandes diferenças de comportamento sexual do homem e da mulher; essas diferenças devem ser conhecidas pelos casais que querem enfrentar a vida juntos.

Um dos grandes princípios a seguir nas relações sexuais é cada um dos cônjuges ter como preocupação essencial tornar o outro feliz; para isto é necessário que saibam que o homem e a mulher têm maneiras diferentes de chegar à satisfação sexual. Muitos homens procuram no ato sexual a descarga de um estado de tensão interna, desejando obter, assim, um prazer o mais rapidamente possível, ao passo que a mulher deseja antes receber afeto e carinho, chegando à satisfação sexual lentamente; a demora provém do fato de que o ato sexual da mulher provoca uma excitação progressiva de todo o organismo; diria mesmo de toda a sua pessoa, enquanto que no homem a excitação está localizada nos órgãos genitais[10]. A união sexual coroada de êxito só existe quando os dois seres chegam à satisfação no mesmo momento. Para isto é necessário que o homem saiba esperar sua esposa e esta compreender a natureza diferente do homem.

Na primeira noite de núpcias, cabe ao homem ter muito maior paciência, senão se arrisca a provocar um choque em sua esposa, choque que poderá torná-la frígida por muito tempo.

O senso comum pretende que durante o ato sexual o homem é ativo e a mulher é passiva. Esta concepção é errônea, e isto acontece, justamente, quando o homem não somente não dá o afeto e o carinho preliminares que sua

---

10. É possível que isto seja um defeito de educação sexual, pois existem homens com orgasmo da pessoa integral.

esposa espera e merece, mas ainda quando chega a se satisfazer egoisticamente. De seu lado, muitas esposas pensam que devem ficar numa passividade total que torna muito difícil saber quando chegou o momento de entrar num estado de comunhão plena.

A franqueza com que escrevemos estas linhas visa a evitar muitos erros e infelicidades. Muitos são os que pensam que a psicologia e a psicanálise modernas ensinam que a felicidade sexual reside em não ser recalcado e

não criar complexos, satisfazendo seu instinto antes de mais nada; ora, as conclusões da psicologia são muito diferentes e num certo sentido exatamente opostas; a verdadeira felicidade sexual (e podemos acrescentar a felicidade geral) é atingida quando se pensou em dar a felicidade ao próximo, quer dizer, no caso presente, ao cônjuge.

Não basta, porém, a harmonia sexual para que os casais sejam felizes; é necessário que suas personalidades também se harmonizem no que se refere ao temperamento ou gênio, ao tipo físico, à idade, ao grau de instrução e educação recebidos. Iremos, agora, estudar todos estes aspectos de harmonia matrimonial.

3. Os tipos de personalidade

É um fato conhecido de todos que existem casais que se entendem e casais que vivem constantemente em desacordo; diz-se que seus gênios combinam ou não, conforme o caso. Vamos a seguir descrever alguns tipos de cônjuges, procurando para cada um o caminho mais adequado para a harmonia conjugal.

• *Marido agressivo e colérico.* Certos maridos, por temperamento, não conseguem dominar-se quando irritados;

qualquer coisa insignificante os aborrece: não encontrar o sabonete em seu lugar, ouvir os gritos das crianças, che-

gar em casa sem o jantar estar pronto, etc. Então começam a gritar com a esposa, a se queixar e a injuriá-la.

Quando a esposa é de natureza tímida, fica calada nesta situação esperando que a tempestade passe; seu marido nem percebe que ela está sofrendo muito com as suas atitudes.

Existem certas pessoas que têm tendência a irritar o marido até que este explode; são, em geral, mulheres que foram criadas por pai igualmente hiperagressivo; estão tão acostumadas a que o pai grite com elas que procuram reproduzir a mesma situação com o marido, que neste caso não é nada mais que o substituto inconsciente do pai; essas mulheres só se mostram satisfeitas e acalmadas quando o marido tiver tido sua crise colérica; outras só estão satisfeitas quando o marido as tiver batido; é evidente que estes casos, embora mais frequentes do que se possa pensar, são casos anormais que precisam do especialista.

A cólera do marido pode também ser resultado de uma doença, como, por exemplo, glândulas que não funcionam bem, ou extremo cansaço; se não forem estas as causas, trata-se, provavelmente, de um homem extremamente forte e robusto que precisa gastar suas energias em esporte. Depois ficará tão cansado que não terá mais energia para cultivar a irritação.

• *Esposa briguenta.* Da mesma forma que existem maridos agressivos e coléricos, encontramos esposas que, por um nada, ficam com raiva e explodem contra o marido; as causas são as mesmas que as descritas no caso dos

homens; embora a harmonia conjugal seja difícil de se manter, neste caso, existem certos maridos extremamente pacientes, que sabem colocar-se acima dos gritos da esposa ou simplesmente não se importam; deixam passar a tempestade; sabem que, no fundo, sua esposa os ama e por isto ficam em atitude tolerante e paciente.

A tendência à briga e à irritação é muito frequente quando a esposa está na fase menstrual, às vezes antes desse período; muitos são os jovens casais que as ignoram e se tornam vítimas desta situação; convém aos maridos terem muita ternura e compreensão neste período; cabe às esposas dominar sua irritabilidade ou, quando isto não for possível, retirarem-se até passar a crise de cólera, a fim de não magoá-los.

• *Marido passivo.* Existem maridos que têm a tendência natural de "deixar como está para ver como fica", e

não resolvem nada; são eternos indecisos; não têm vontade própria.

São, em geral, pessoas que foram subjugadas pela vontade materna; suas mães os acostumaram a não tomar nenhuma decisão e resolveram todos os seus problemas para que eles não tivessem preocupações; quando se casam, precisam ter uma esposa muito ativa que tome o lugar da mãe.

Os homens passivos costumam, também, casar com um outro tipo de mulher, que dará o tipo de esposa maternal, que iremos descrever a seguir.

• *A esposa "maternal"*. Certas mulheres têm desenvolvido em si o instinto maternal a tal ponto que estendem

seu amor maternal não somente às crianças dos outros, mas ao próprio marido; são esposas que têm atitudes protetoras em relação aos seus maridos; cuidam deles como se fossem crianças pequenas.

Os maridos de tipo passivo, ou ainda os que recebem muitos carinhos durante a infância, adaptam-se muito bem a esse tipo de esposa; outros, porém, ficam irritados pelo excesso de proteção que recebem; convém, neste caso, orientar a esposa para ter mais filhos ou, se isto não for possível, a desenvolver atividades onde canalizar este instinto; como, por exemplo, trabalhar numa creche, auxiliar obras de caridade ou ser madrinha de outras crianças.

• *Maridos e esposas ciumentos.* O ciúme é, provavelmente, uma das maiores causas de conflito nos lares; quando está baseado numa verdadeira infidelidade por parte de um dos cônjuges, pode ele ser compreendido e sabemos que a maioria das pessoas estaria sofrendo de ciúme em tal circunstância; porém existe uma espécie de ciúme sem fundamento, sem razão de ser, que é muito frequente. Este ciúme sem causas reais aparece a qualquer momento e por motivos insignificantes: sorriso recebido ou dado por um dos cônjuges a um amigo ou amiga da família, atraso na hora de chegar em casa, mudança de vestido, presença no trabalho de companheiros do outro sexo, etc.

O ciúme é baseado na desconfiança e num sentimento de inferioridade: a pessoa ciumenta não confia bastante em si mesma para manter o amor do ente querido, e pensa que os outros lhe são muito superiores e por isto irão roubar-lhe o cônjuge.

O ciúme tem, também, muitas vezes, origem muito remota a ser procurada na própria história da pessoa ciumenta; em geral, o ciúme nasceu entre irmãos e foi cultivado pelos pais através de comparações inoportunas; existem crianças que tiveram ciúmes de seus pais; sabe-se que, por volta de três a quatro anos, as meninas preferem seu pai e demonstram, às vezes, ciúme dele, e os meninos ficam com ciúmes de suas mães; um ciúme muito forte, nesta idade, pode sumir no inconsciente durante vinte anos e reaparecer durante a vida conjugal, sem que a pessoa se lembre da origem remota do seu sentimento.

Certos tipos de ciúme podem ser sinal de doença mental e precisam ser tratados por especialistas.

• *Existe um tipo de casal ideal?* Poderíamos continuar a descrever dezenas de tipos de personalidades diferentes; só quisemos, através do retrato de certos tipos de cônjuges, fazer sentir ao leitor que não há um tipo de personalidade ideal para o casamento, pois o que é defeito para determinado marido, torna-se qualidade para outro, isto porque o tipo de esposa é diferente; certas mulheres precisam de maridos firmes e decididos; outras, de natureza independente e voluntariosas, necessitarão de marido diplomata e paciente; maridos combativos e explosivos dificilmente se entenderão no lar com esposas de mesmo gênio.

O equilíbrio da vida de um casal depende, por conseguinte, da maneira pela qual as personalidades se harmonizem, cada uma sendo, muitas vezes, o complemento da outra.

A maioria dos casais, depois da lua de mel, passa por uma crise, que consiste essencialmente na descoberta, por cada um dos cônjuges, dos defeitos do outro; aos poucos, através de concessões mútuas, chega a estabelecer-se um equilíbrio, uma compreensão recíproca, que contribui para a felicidade conjugal.

4. O tipo físico

Sabe-se hoje que a personalidade humana é muito influenciada pelo tipo físico; as pessoas gordas são predominantemente sociáveis e emotivas; as pessoas musculosas são agressivas e ativas; as magras e altas são, principalmente, tímidas e fechadas. Se o tipo físico tem tanta repercussão na personalidade individual, é de supor que, também, as relações entre esposos devem sofrer a sua influência.

O tamanho tem a sua importância nas relações humanas entre cônjuges: em geral, considera-se normal o homem ligeiramente maior que a mulher; isto é, provavelmente, o reflexo, no plano físico, da necessidade da mulher de ser protegida e do homem de proteger, conforme já assinalamos.

Há, porém, casais em que acontece o inverso: a mulher é muito maior que o homem; embora não sejam casais de tipo físico padrão, vivem, em geral, em harmonia; a única diferença reside talvez no fato de que a esposa encontrou em seu marido alguém para proteger e o marido encontrou em sua esposa uma segunda mãe.

5. A idade

Em geral, os maridos têm mais idade que as esposas; isto provém de vários fatores; os homens amadurecem mais tarde que as mulheres; de outro lado, é necessário para os homens ter situação econômica suficiente para poder manter uma família, e isto necessita de muito tempo; além do mais, o envelhecimento do organismo aparece mais cedo na mulher que no homem; enfim, pelo fato de o homem ter de exercer função de guia e de chefe de família, convém que possua mais experiência que a mulher.

Há, porém, situações diferentes, quer dizer, em que a esposa é mais idosa que o marido; estes casais não vivem mais infelizes que os outros; pode-se, muitas vezes, constatar nesses casos o mesmo fenômeno analisado no caso do tamanho físico, isto é, grande desejo de proteção maternal na esposa.

Não podemos silenciar os casos de grande diferença de idade entre os cônjuges; todo o mundo conhece situações em que o marido tem vinte ou mesmo trinta anos mais que a esposa; a explicação da escolha do marido não é surpreendente porque tem tudo a ganhar em tal situação; o que o leigo não consegue compreender é a razão da escolha por parte da esposa. Há, por exemplo, pessoas que escolheram maridos muito mais velhos que elas, e que se afeiçoaram sinceramente por eles. O que na realidade acontece é um fenômeno muito mais profundo; são em geral mulheres que tiveram grande admiração e afeto pelos seus pais, a tal ponto que não podem imaginar um casamento com pessoa que não tenha a idade de seus próprios pais. É o caso das moças que só sentem prazer em namorar homens que passaram da maturidade; opera-se uma simples transferência pai-marido.

Existem casais com grande diferença de idade real, mas nos quais a natureza deixou no marido ou na esposa, conforme o caso, traços de juventude tais que tal diferença só aparece na certidão de nascimento.

6. *Grau de instrução e educação recebida*

Parece não ser muito aconselhável o casamento entre pessoas de grau de instrução e de educação muito diferentes; isto porque os assuntos de conversa são tão diferentes e as concepções da vida tão opostas, que a vida em comum se torna muito difícil; embora seja frequente ver-se no cinema a digitadora casar com seu diretor, na realidade muitas destas uniões acabam em desquite e separação, a menos que um dos dois tenha uma grande capacidade de adaptação aos costumes e nível de instrução do outro.

Há, evidentemente, exceções; conheço, por exemplo, uma professora que casou com um motorista. Os dois vivem regularmente felizes; isto porque a esposa nunca tentou tomar ares de superioridade intelectual diante do marido.

O amor, o respeito humano por parte dos cônjuges, são capazes de superar muitas dessas diferenças.

7. Evolução da vida conjugal

Conforme assinalamos no início, o casamento não é, como muitos pensam, um ato, uma assinatura, da qual decorreria naturalmente vida permanentemente feliz e sem nenhum incidente: pelo contrário. A vida conjugal está sempre em evolução; há, constantemente, necessidade de se reajustarem as personalidades; por isso, iremos descrever em linhas gerais esta evolução, iniciando pela lua de mel.

• *A lua de mel.* Como sabemos, dá-se este nome ao período que corresponde às primeiras semanas ou mesmo primeiros meses de casamento; é nesta época que o casal dá os primeiros passos sozinho, o que deve ser feito em ambiente calmo e acolhedor, sem atropelos de longas e cansativas viagens de núpcias ou extravagâncias no comer e beber. Em geral, a felicidade de poderem viver juntos é completa; no plano sexual, se o marido tiver tido nas primeiras noites as atitudes que aconselhamos, especialmente se ele souber introduzir a jovem esposa com viril dignidade na vida conjugal, também existirá um estado de verdadeiro paraíso terrestre; quando tudo corre bem, é uma das mais belas fases da vida.

• *Ilusão e realidade.* Aos poucos, o casal começa a tomar contato com outros aspectos da realidade; realidade que pode traduzir-se de várias maneiras: *ele* não é tão trabalhador como *ela* pensou; *ele* gosta de beber cachaça ou uísque; *ela* gasta muito dinheiro em meias e perfumes,

ou então não sabe cozinhar; *ela* exige que *ele* lave os pratos enquanto *ela* vai fazer compras, e *ela* percebe que *ele* não acha nenhuma graça nisto e fica decepcionada; *ele* chega cansado do trabalho e *ela* quer ir ao cinema; *ele* prefere ficar em casa e ler as notícias esportivas; *ela* percebe que *ele* está começando a olhar para os *brotos* e fica com ciúme; *ele* deixa cair as cinzas do cigarro no chão e *ela* se queixa disto com tom amargo; *ela* quer visitar a mamãe no domingo, pois está com muitas saudades, mas não pode porque na mesma hora *ele* já convidou seu colega de trabalho para jogar cartas.

São todas essas pequenas coisas da vida quotidiana que influenciam a vida do casal; cada qual necessitará fazer concessões; haverá nisto altos e baixos na felicidade conjugal, até chegar-se a um estado de equilíbrio que poderemos chamar a maturidade do casamento.

• *A maturidade conjugal.* É, às vezes, depois de muitos atritos e discussões que o casal chega a uma situação de harmonia na qual há sacrifícios recíprocos, mas na

qual há também divisão das alegrias; infelizes são os que procuram fazer do casamento eterna lua de mel; são, geralmente, moças que pensaram a encontrar no noivo o *príncipe encantado*; não poucos são os que, procurando encontrar uma *cinderela*, percebem que só conseguiram uma mulher com qualidades e defeitos. A verdadeira felicidade consiste em aceitar a realidade e procurar adaptar-se a ela; se além disso se consegue modificá-la um pouco, então se terá conseguido algo a mais do que se poderia esperar, e por isso mesmo convirá apreciar esse algo mais que pode ser o fato, por exemplo, de um marido parar de beber para agradar à esposa, ou de uma mulher, gostando de fazer despesas, controlar-se por amor ao marido.

No plano sexual, a exuberância da lua de mel passou; o casal está notando que tem seu ritmo próprio e sente que não deve fazer excessos neste terreno senão se arriscam os cônjuges a não apreciar mais este elemento importante da vida conjugal, chegando-se, também, neste terreno a um estado de harmonia e um espírito de compreensão tal que, neste momento, muitos casais sentem que há na união de dois seres algo de superior e de sobrenatural.

• *As bodas de prata.* É um erro pensar que o amor se extingue depois de vinte ou trinta anos de casamento; está comprovado que mesmo a vida sexual dificilmente desaparece. Muitas mulheres pensam, por exemplo, que depois da menopausa, quer dizer, depois de pararem as menstruações, cessa para toda a vida o prazer sexual; nada de mais falso; está comprovado que não há nenhuma razão para se preocuparem a este respeito. Também se sabe que existem homens que ainda têm vida sexual depois dos oitenta.

Quanto ao amor conjugal, em geral, é inútil dizer que perdura até a morte; torna-se ainda reforçado por uma amizade profunda, que só a convivência pode oferecer.

8. O casal sem filhos

Até agora não falamos das relações entre pais e filhos, pois consagramos capítulo especial a este respeito; subsiste, porém, o problema do casal sem filhos. Existe o problema, pois afirmamos no início que o maior desejo normal da mulher é ter crianças; ora, existem certos casais que por razões diversas não podem ter filhos, apesar de terem feito todos os tratamentos médicos indicados; neste caso, se o desejo de ter filhos for muito pronunciado, pode-se pensar em adotar uma dessas numerosas crianças abandonadas. Se se tomar tal decisão, convém pedir antes de tudo exame completo da criança, a fim de ter a certeza de que se vai ter uma criança normal. Convirá, também, nunca esconder da criança sua verdadeira origem; evitar-se-ão assim numerosos problemas para o futuro.

Se o casal não quer adotar esta solução, e o instinto maternal se revela muito desenvolvido na esposa, então poder-se-á pensar em escolher para ela uma atividade social, tal como cuidar de pobres, trabalhar numa creche ou num jardim de infância, ou estudar para ser professora.

Certos casais buscam um derivativo cuidando de animais domésticos, como cachorros ou gatos.

9. Relações com amigos, vizinhos e parentes

A menos que o casal tenha atividades profissionais nos domingos e feriados, existe o grande perigo de cair na monotonia; por isso, é necessário que o casal tenha um ou vários casais amigos, com os quais possa trocar ideias a respeito da política, da moda, de esportes, da profissão ou problemas de família. Com esses amigos poder-se-á, também, fazer excursões ou praticar esportes, a fim de mudar de ambiente e variar o que se faz durante a semana.

As relações com os vizinhos, também, devem ser objeto de comentários de nossa parte; conheço pessoas que não podem mais passar de um lado da sua rua porque brigaram com todos os vizinhos; é necessário não esquecer que há sempre motivos de briga com vizinhos; quando não é o rádio que deixam ligado até altas horas da noite, é o filho que vem trepar nas plantas do quintal ou o gato do vizinho que faz as necessidades na frente da porta do casal; é necessária certa tolerância, para não cercar a casa do casal de uma rede de inimigos, o que seria pior.

10. Vida familiar e vida profissional

Os homens têm na realidade sempre duas esposas: uma é aquela com a qual eles casaram; a outra se chama profissão; as esposas se apercebem disto só muito tempo depois e muitas ficam com ciúmes do trabalho do marido; é preciso que elas não esqueçam que é graças a este trabalho que a família pode viver; de outro lado, para muitos maridos, a profissão é um grande passatempo quando gostam dela; um marido que gosta da sua profissão dificilmente procurará outros divertimentos que possam prejudicar a felicidade conjugal.

11. Amores e amor

Nos presentes capítulos descrevemos a vida matrimonial tal como ela se dá tradicionalmente.

Existe, no entanto, uma forma de amor que se traduz por um relacionamento extremamente profundo.

Existem na realidade duas grandes formas de relações amorosas: a primeira resulta de uma ou várias necessidades; o casal se formou para ver satisfeitas certas necessidades recíprocas: sensualidade, descarga de tensão sexual, ser admirado e elogiado, encontrar um pai ou uma mãe que

cuida de tudo, instinto materno, segurança econômica, entre outras. Elas se traduzem afinal de contas numa relação possessiva, pois a perda da pessoa assim "amada" resulta, na mente da pessoa, na perda do objeto de satisfação destas ou daquelas necessidades. Está aí a origem do ciúme. O parceiro é tratado como coisa e não como pessoa.

A segunda forma de amor consiste numa comunicação profunda entre dois seres. São cultivados na relação

os grandes valores da humanidade: beleza interior, verdade, integridade, simplicidade, paz, plenitude, entre outros. O casal cultiva os momentos de elevação espiritual, do que Maslow chama de "experiência culminante" diante de um pôr do sol, de uma paisagem bonita, de uma audição musical, de um passeio ao luar, de um silêncio de comunhão e mesmo e sobretudo na relação sexual. Em vez de ciúme da posse, há o amor ao ser, há o encontro das essências, há o sentimento de que os dois formam uma só entidade, embora haja um respeito profundo pela individualidade de cada um.

O leitor interessado terá vantagem em consultar o nosso livro *Amar e ser amado*.

É nossa impressão de que os motivos de separação de casais se encontram muito mais nos que mantêm uma relação possessiva de que no outro tipo de relação.

Examinemos, a seguir, o problema do divórcio.

12. O divórcio

• *Como a psicologia e a sociologia encaram o divórcio?* A psicologia, a sociologia e a psicossociologia como ciências descritivas e objetivas não "encaram" o divórcio e não têm opinião a respeito; apenas descrevem o divórcio como fenômeno social sem emitir julgamento de valor.

A psicologia retrata as causas pessoais do divórcio, a sociologia mostra quais os usos e costumes a respeito do divórcio em cada tipo de sociedade e a psicossociologia aponta as causas e mecanismos interpessoais do divórcio, ou melhor, das incompatibilidades, tensões e conflitos conjugais. As causas na justiça em geral não são as verdadeiras.

• *Causas do divórcio.* Seria melhor falar em causas de tensões, conflitos interpessoais no matrimônio que levam à separação, já que o divórcio é uma figura de dissolução do vínculo matrimonial.

As causas mais frequentes são:

• Embriaguez e alcoolismo;

- Incompatibilidade de humor;
- Infidelidade conjugal;
- Ciúme imotivado;
- Frieza sexual;
- Impotência sexual;
- Ausência prolongada do lar;
- Término de sentimento amoroso;
- Agressões físicas;
- Distúrbios da personalidade;
- Neurose e psicose;
- Gravidez anterior ao casamento;
- Toxicomania;
- Fraude, roubo, assassinato;
- Prisão;
- Homossexualidade;
- Não sustento econômico.

• *Opiniões sobre o divórcio.* Vamos fazer uma descrição tão objetiva quanto possível sobre as opiniões a favor ou contrárias ao divórcio, isto é, ao direito de desfazer o vínculo matrimonial após processo judicial. Tentaremos colocar em paralelo os dois tipos de opinião, a fim de que o leitor possa fazer o confronto e chegar a uma conclusão pessoal.

Opiniões contrárias	Opiniões a favor
1) O vínculo matrimonial é indissolúvel por ser um ato santificado pela Igreja Católica.	1) Nem todos os que se casam são católicos, sendo que quase todas as religiões admitem o divórcio. É uma verdadeira ditadura obrigar pessoas de crenças diferentes a adotar costumes da maioria; é uma ofensa à liberdade humana dispor de sua própria pessoa.

Opiniões contrárias	Opiniões a favor
2) Os filhos de divorciados tornam-se neuróticos e desequilibrados. É um drama permanente o fato de ter de preferir um ou outro dos pais.	2) Nem todos os casais que se divorciam têm crianças. Quando as têm, muito mais perigoso para a saúde mental das crianças é presenciarem e serem submetidas a tensões permanentes do que viver com um dos pais, visitando o outro de vez em quando. Existem inúmeras crianças de divorciados com menos problemas de ajustamento do que crianças de casais chamados "normais".
3) Nos países em que há divórcio, o número de divorciados aumenta constantemente, o que é um fator de desequilíbrio e perigo para a estrutura da sociedade.	3) No país que tem o divórcio (Estados Unidos) como instituição bastante antiga, a percentagem de divorciados por mil habitantes, anual, desde 1945, oscila entre 2,1 e 4,3, sendo que há uma constante em torno de 2,3. Não se verifica nenhum aumento, e sim oscilações periódicas (por exemplo, aumento depois da guerra).
4) Os casais deveriam fazer esforços para se entenderem e superarem as causas da sua desunião.	4) Existem situações irreversíveis, e sem solução, a não ser a separação. Para que manter um sofrimento a dois se cada um pode encontrar uma nova forma de equilíbrio posteriormente ao divórcio?

5) Com o divórcio, as pessoas ao se casarem têm a tentação de fazer do casamento uma simples experiência que pode ser renovada se não der certo; diminui-se o senso de responsabilidade.	5) As estatísticas acima citadas já demonstram que, na realidade, isto não se dá. Além do mais, experimentar é um direito que cada um tem, sendo que o número de experiências pré-matrimoniais aumenta consideravelmente com as pílulas anticoncepcionais. Seria interessante verificar se nos países sem divórcio o medo de casar não provocaria um aumento no número de solteiros.

4
Relações humanas entre pais e filhos nas diversas fases da vida[11]

"Cuidado, você vai resfriar-se! Vista o seu paletó antes de sair, e, quando atravessar a rua, cuidado com o ônibus; esta cidade é tão perigosa!" Estas palavras foram proferidas por uma mãe. "E daí?" – perguntará o leitor –, "não vejo nada demais nisto!"

Realmente, não teria nada demais, pois é dever da mãe ensinar ao seu filho a tomar cuidado consigo mesmo e evitar resfriados e desastres; porém, havia algo errado; sabem qual era a idade do filho? – Tinha ele vinte e cin-

11. Cf. tb. *A criança, o lar e a escola*, do mesmo autor.

co anos! a sua mãe o tratava como se tivesse oito ou dez anos; a sua atitude não estava ajustada à idade do seu filho. Isto cria revolta ou extrema passividade nos filhos que já passaram da idade de receber este tipo de conselho dos pais.

Há, por conseguinte, necessidade de conhecer quais devem ser as relações entre pais e filhos em cada época do desenvolvimento da criança.

A criança é um ser muito diferente do adulto; existem adultos que são como pequenas crianças; mas a criança nunca pode ser considerada como pequeno adulto; tem mentalidade, interesse e costumes completamente diferentes do adulto, e também nas diversas idades.

Desde a gestação, a criança passa por diferentes etapas, fases que foram estudadas por muitos psicólogos do mundo; em cada uma destas fases os pais devem evitar tomar certas atitudes; para saber o que fazer nas diferentes fases da vida infantil e juvenil é necessário conhecer estas fases; por isto, iremos a seguir enumerá-las, antes de estudar as características e as relações humanas próprias a cada idade.

Os psicólogos costumam distinguir:

1) *A gestação.* É o período de que se estende do momento da concepção até o nascimento; já, nesta época, há necessidade de tomar algumas precauções nas relações com o filho, embora ele esteja ainda no ventre materno.

2) *O recém-nascido.* Iremos estudar neste tópico os primeiros dias da vida fora do ventre materno.

3) *A primeira infância.* Estende-se do segundo mês até os dezoito meses.

4) *A idade de falar.* Depois de dezoito meses, a criança começa a utilizar frases para estabelecer relações humanas com os pais e estranhos; por isto é um período importante.

5) *A idade do "não".* De três a seis anos aproximadamente, a criança passa por uma série de crises nas suas

relações com os pais, os quais precisarão ser preparados para enfrentá-las.

6) *A idade da "razão"*. Este período se inicia aos sete anos aproximadamente e confunde-se com a entrada da criança na escola.

7) *A puberdade* ou *adolescência.* Começa com onze anos aproximadamente e é considerada como período difícil nas relações humanas entre pais e filhos.

8) *A juventude.* Depois de dezoito anos, aproximadamente, a atitude dos pais em relação aos filhos deverá ser diferente da anterior.

9) *O casamento e a maturidade.* Embora depois do casamento ou por outra circunstância os filhos passem a morar em outra casa que a dos pais, estes continuam a ter contato com eles; é, por conseguinte, indispensável aos pais conhecerem as regras de boas relações humanas com os filhos maduros ou casados, e, quando os houver, com os netos.

Como se vê, estudaremos nas próximas páginas não somente as relações dos pais com os seus filhos crianças, mas também com os filhos adultos, o que até agora foi muito pouco aflorado pelos psicólogos.

1. A gestação

Conheço o caso de um pai que, bêbado, dava pontapés no ventre da esposa durante a gravidez; a criança nasceu normalmente, porém, mais tarde, ficou imbecil e nunca pôde frequentar escola.

Sei que os pais que nos leem nunca fariam uma coisa destas; citei um exemplo para mostrar que já existem relações entre pais e filhos, antes de a criança nascer, relações que têm influência no desenvolvimento futuro da criança.

A gestante deve nesta época manter-se bastante calma, e o seu marido evitar-lhe qualquer aborrecimento, pois o sistema nervoso do feto é muito sensível às reações nervosas da mãe.

2. O recém-nascido

Logo depois do primeiro dia de nascimento a criança depende extremamente da sua mãe que lhe dá o seio.

É muito importante, nos primeiros dias de vida, já começar a acostumar a criança a ter as suas horas de mamar e suas horas de dormir; procurar qual o intervalo mais conveniente para as mamadas e manter este horário sob a orientação do seu médico; criança que desde cedo tem os seus hábitos regrados dará menos dificuldades na sua educação posterior.

Há muitas mães que, quando a criança chora, põem o bebê no colo e ficam passeando horas a fio sacudindo o recém-nascido até dormir; é um costume deplorável e que não dá bons resultados, pois acostuma a chorar para ser acalentada; a mãe se torna, rapidamente, verdadeira escrava da criança que não para mais de chorar.

Quando a criança chora, é que há algo de errado, e o melhor é ir logo verificar se está molhada, se há algum alfinete aberto, se está doendo algo, ou se não está na hora de mamar; se não há nada disto, deixar a criança chorar é excelente exercício respiratório.

O recém-nascido precisa antes de tudo de repouso, higiene, horários de dormir e comer.

3. A primeira infância

Aos poucos, nos dois primeiros meses, aparece o primeiro sorriso da criança; é o primeiro sinal de relações humanas entre a mãe e o filho, sorriso que faz a alegria de toda a família; é bom responder a este sorriso, a fim de que a criança perceba aos poucos que o adulto está fazendo a mesma coisa que ela.

Aos três meses mostra necessidade de ter uma hora de relações humanas, hora em que gosta de ficar acordada, olhando para os seus pais que ela começa a reconhecer, gesticulando com as pernas ou sorrindo quando se aproximam; convém manter esta hora social, todos os dias, podendo ser de manhã ou à tarde, conforme a criança.

Começa também com esta idade a ser sensível aos carinhos e mimos que são necessários, mas não devem ser dados em excesso.

Evite dar a seu filho uma chupeta; é um hábito perfeitamente inútil, que não impede a criança de chorar, e que, além de trazer micróbios, estraga a boa digestão do nenê. Se chupa o dedo, consulte seu pediatra.

Como a criança ainda não sabe falar, a sua linguagem principal é o choro, o riso e o movimento das pernas; com estes três instrumentos ela mostra que está sofrendo, que está contente ou que está entusiasmada; as mães entendem muito bem esta linguagem.

Com quatro meses a criança já gosta de ser levantada da cama, passear e fazer brincadeiras com os pais; começa a dar gargalhadas e gosta de olhar as pessoas deitada na barriga e sustentando-se com os braços.

Aos cinco meses, o nenê mostra-se muito mais exigente nas suas relações com os pais, chorando com facilidade, quando estes se afastam.

Em torno de seis meses passa por maus momentos, pois aparecem os primeiros dentes, o que não se faz sem dores e gemidos; a criança mostra-se mais difícil de trato; por isto, os pais avisados ficam com mais paciência nesta época.

Entre os sete e os oito meses, a criança começa realmente a brincar em companhia dos pais e crianças; já está na idade, se for filho único, de brincar com outras crianças.

A criança tem as suas horas de brincar sozinha, e é bom que seja assim: a mãe não deve ficar o dia inteiro brincando com ela, pois isto faz com que o filho não possa mais ficar só e chore quando a mãe se afasta; em geral, à tarde, por volta das cinco horas, a criança gosta de brincar com os pais; o resto do tempo brinca só.

Quando a criança se aproxima de um ano de idade, a gente sente que ela vai começar a andar; já se está sustentando em pé, segurando-se à cadeira ou à caminha. Muitos são os pais que, nesta época, pegam as crianças pelo braço, procurando ensiná-las a andar, impacientes de vêlas dar alguns passos; a psicologia e a medicina mostram que não adianta ensinar a andar, pois isto depende do cérebro que, a partir de certo momento, desenvolve-se de maneira a permitir o andar; os pais, forçando a natureza, arriscam deformar as pernas do bebê.

A criança gosta de fazer rir os pais e começa a imitá-los; gosta de brincar de esconder. Gosta de passear à tarde e ver outras pessoas e crianças.

Depois de saber andar, a criança procura tornar-se mais independente dos seus pais, independência que irá adquirindo aos poucos até tornar-se adulto. Por enquanto, o filhinho quer fazer tudo sozinho: pegar no copo e no garfo, tirar os sapatos; com quinze meses, já está olhando livros de figuras coloridas e distraindo-se com música.

Com um ano de idade a criança já não deve mais mamar; sei que há muitas mães que continuam a dar de mamar a crianças até idades mais avançadas; é um erro muito grande, pois pode acontecer que a criança se converta num adulto eternamente insatisfeito; o desmame não deve ser feito de maneira brusca; convém pedir a orientação do posto de puericultura mais próximo de sua residência ou do seu pediatra.

Embora a criança só seja capaz de não molhar nem sujar as calças com aproximadamente dezesseis meses, convém, já com oito meses, começar a dar o urinol nas horas nas quais se sabe que a criança costuma fazer as necessidades: aos poucos se consegue criar um hábito em torno deste assunto tão importante como é o asseio; convém evitar ralhar com a criança, quando não conseguiu controlar-se, pois isto provoca complexos que podem prejudicá-la a vida inteira.

4. A idade de falar

Com dezoito meses aproximadamente, a criança começa a usar a linguagem falada nas suas relações com os adultos; embora compreenda já muita coisa do que os seus pais lhe pedem, a criança de dezoito meses só tem algumas palavras que é capaz de pronunciar. Quando diz uma palavra, esta significa uma frase inteira; por exemplo: "Pa-pa" quer dizer: "Eu quero comer". Com dois anos de idade a criança já conhece grande número de palavras; aos poucos, começa a sentir o valor das palavras e o seu poder sobre os adultos, como por exemplo: "Eu quero". Nesta idade é muito importante os pais começarem a fazer sentir à criança que quando decidem uma coisa não adianta insistir; é necessário utilizar muita firmeza, embora com bastante paciência, pois nesta idade a criança é extremamente independente; já não aceita mais ficar num quarto com portas fechadas sem que ela mesma feche a porta; gosta de brincar com muitos brinquedos, e começa a rasgar todo papel que encontra: cuidado com as tesouras, facas e tomadas elétricas; enquanto se dá bastante liberdade à criança para brincar com bichos de panos, cubos ou bolas é indispensável, para a própria segurança da criança, fazer sentir o que é proibido tocar.

Convém também acostumar a criança a colocar as coisas em seu lugar, o que, com vinte e um meses, já sabe fazer muito bem.

5. A idade do "não"

Com dois anos, a criança já pode tirar parte da sua roupa e ajudar a mãe no momento de se vestir, embora não consiga fazê-lo só. Também se mostra muito mais calma que antes; e muito mais afetuosa com os pais.

Entre três e cinco anos, a criança desenvolve muito a sua sociabilidade; gosta de ter a companhia de outras crianças; convém evitar, nesta época, que os pais façam muitas comparações com os colegas de jogo; evitar frases como: "Veja o Paulinho como está bonzinho; por que você não faz como ele?"; tais frases provocam ciúmes e conduzem os filhos a não gostar da companhia de outras crianças. Pais que fazem comparações entre irmãos provocam também ciúmes e brigas entre eles, o que torna o ambiente da família insustentável.

A criança entre três a cinco anos é particularmente sensível aos ciúmes, porque gosta muito da companhia dos seus pais; tem em geral preferência pelo pai de sexo oposto; as meninas preferem o pai e os meninos a mãe.

Parece haver também neste período um certo espírito de contradição; a criança passa por fases de oposição a tudo que os pais peçam e diz sistematicamente "não"; daí o nome de idade do "não" que certos psicólogos deram a esta época da evolução da criança.

O "não" deve ser interpretado como sendo um exercício da vontade própria da criança, ou como uma espécie de ensaio para ver até onde pode ir. Às vezes, a criança está com muitos ciúmes do pai do mesmo sexo, e se coloca em oposição a este. Os pais, sendo pacientes, compreensivos, mas firmes em suas atitudes, conseguirão facilmente enfrentar a pequena vontade da criança sem causar choques inúteis nela.

Com três anos já convém colocar o filho no jardim de infância onde aprenderá a conviver com outras crianças, o que é muito importante para a sociabilidade futura.

6. A idade da "razão"

Durante o período precedente era difícil aos pais fazerem compreender o porquê das ordens dadas; depois de seis anos a criança começa a perguntar a razão de tudo; os pais devem responder a todas as perguntas, em linguagem simples, dando muitos exemplos; é a idade na qual a criança começa a querer ver Deus e se preocupa com a morte, com as estrelas e com o que há por detrás delas.

A partir de sete anos não precisa mais tanto dar ordens e interdições quando há perigo para a criança; basta mostrar-lhe a razão pela qual não deve fazer isto ou aqui-

lo para que ela própria conclua que está errada. Por exemplo, se o seu filho estiver com mania de brincar com fósforos, conte-lhe a história de um menino que brincava muito com fósforos até que um dia incendiou a casa; convém ao mesmo tempo ensinar-lhe como utilizar o fósforo sem se queimar e o que fazer em caso de incêndio; ensinar o perigo e ao mesmo tempo como evitá-lo.

Com sete anos a criança normalmente deve entrar no primeiro ano do Ensino Fundamental; o tempo que passa com os pais já não é mais o mesmo que antes; quando chega em casa convém perguntar quais são os deveres que a professora deu para fazer, e incentivar a criança a reestudar o que aprendeu na escola; é necessário que estude pelo menos duas meias horas por dia; convém que essas horas sejam em geral as mesmas todos os dias a fim de formar o hábito de estudo; no início, pode-se ajudar se tiver dificuldade; nunca, porém, fazer os deveres pela criança; evitar também ralhar se ela não entender alguma coisa; se a criança não entendeu é sinal de que em geral o pai não soube explicar; fazer com que aos poucos ela estude sozinha. Nunca obrigá-la a estudar logo que chegue do colégio, pois precisa tomar a sua merenda e brincar um pouco; quando o colégio for à tarde, convém fazer o estudo de manhã; quando for de manhã, convém fazer o estudo na parte da tarde; sempre verificar se a criança não se esqueceu de algum dever ou de alguma lição.

Entre sete e nove anos, nos domingos e feriados, as crianças estão ainda muito presas aos pais, com quem gostam de trocar ideias e sobretudo a quem gostam de fazer perguntas. Sentem em seus pais os protetores a quem vão-se socorrer se estão ameaçadas nas brigas com colegas; têm medo à noite e é muitas vezes necessário deixar a luz acesa durante várias noites, até passar a crise; convém neste caso deixar a criança acender e apagar a luz quando quiser, a fim de controlar por si mesma o seu medo e de se convencer de que não há nem fantasma nem ladrão no quarto.

Depois de nove anos, as crianças se preocupam cada vez mais consigo mesmas e se tornam mais independentes; procuram muito menos os seus pais e tendem a fazer amiguinhos íntimos; são extremamente sociáveis, e se os seus pais derem o exemplo de boa educação e cortesia, elas os imitarão e se tornarão corteses e delicadas com outrem; o grande segredo da educação é a imitação, que explica em parte que muitas crianças agem como seus pais.

7. *A pré-adolescência e a puberdade*

Até os doze anos aproximadamente, as relações entre pais e filhos não sofrem grande variação, é um período relativamente calmo; a criança frequenta a escola, faz os seus deveres em casa quando for bem educada; brinca com os colegas e não apresenta problema especial.

Um dia, porém, quando o filho completa doze anos, muitos pais vêm a nós com a mesma frase: "Não sei o que há com o meu filho (ou a minha filha) [...] está-se tornando tão esquisito, tão diferente!" Este "tão diferente" pode-se traduzir de várias maneiras; a criança não obedece mais e se torna rebelde; ou então não fala mais com ninguém e chega tarde em casa; esta mudança de atitude é em geral seguida ou precedida de mudança de voz nos rapazes e das primeiras menstruações nas meninas.

A criança já não é mais inteiramente criança e ainda não é adulta; está-se tornando rapaz (ou moça); é a época da puberdade que é acompanhada, na maioria das vezes, de uma crise chamada crise da adolescência.

Nesta época os pais também devem mudar de atitude, e cada vez mais se tornarem colegas dos filhos e das filhas, verdadeiros amigos, prontos a receberem as confi-

dências a fim de poderem orientá-los melhor no bom caminho; evitar os conflitos, prontos a explodir em período tão difícil em que o adolescente só quer liberdade, pensando que é vítima de injustiças e malcompreendido pelos seus pais; é preciso muita diplomacia e firmeza para fazer com que a criança não escape completamente do controle dos pais.

Na realidade, é o último passo para a verdadeira mocidade; o ingresso na vida própria e a saída do lar estão se preparando[12].

É a idade também dos primeiros namoros e das primeiras desilusões; muitas mães se mostram inconscientemente ciumentas dos primeiros namoros de seus filhos; convém dominar esse sentimento e saber que é perfeitamente natural, sendo evidentemente necessário orientar os rapazes, para dominar os seus instintos e guardar relações de perfeita cortesia para com as moças; a estas, indicar como se defender dos rapazes ou senhores demasiadamente audazes.

Muitos rapazes e algumas moças já saíram da escola e estão em aprendizagem, num emprego do comércio ou

---

12. Cf. tb. *Sua vida, seu futuro*, do mesmo autor.

numa indústria; convém preparar os filhos para enfrentarem o ambiente da loja ou da indústria onde pode acontecer que sejam levados a praticar atos imorais por colegas ou adultos sem escrúpulos; os pais devem tanto quanto possível prevenir francamente os filhos e as filhas contra todos os perigos, a fim de que passem a sua adolescência normalmente e não se tornem adultos antes do tempo.

Muitos pais ficam completamente desorientados quando os filhos se tornam homens e as filhas moças.

É, antes de tudo, interessante esclarecer, numa conversa ocasional, as modificações que traz a puberdade. Explicar às meninas o significado das primeiras indisposições; aos rapazes, a causa das primeiras poluções; mostrar tudo isso é natural, pois muitos adolescentes ficam angustiados, crendo-se doentes, viciados ou ainda castigados pelo céu!

Em sua atitude para com os filhos, os pais devem ter em mente a imagem do pássaro que mais cedo ou mais tarde deixa o ninho paterno (sendo a separação do homem progressiva). Os pais que querem lutar contra esta evolução natural arriscam não somente perder a amizade dos filhos, mas ainda ganhar verdadeiros inimigos velados.

Dar a liberdade aos poucos, eis o segredo da educação dos adolescentes!

8. A juventude e a maturidade

Depois dos dezoito anos começa a verdadeira juventude; alguns rapazes já vão morar sozinhos longe dos pais; outros continuam a viver com eles até se casarem.

Neste último caso é indispensável evitar querer impor a sua vontade aos filhos como se fossem ainda crianças; depois de vinte e um anos são eles maiores de idade inclusive perante a lei e não convém muito se intrometer na vida que lhes pertence; se os pais souberem conservar a confiança de seus filhos, estes, por si mesmos, irão pedir conselho no caso de estarem em apuros ou de não poderem resolver determinados problemas.

A partir de vinte e cinco anos aproximadamente, é preferível que os rapazes tenham a sua vida independente da dos seus pais, inclusive porque isto lhes ensinará a não dependerem mais de ninguém para tomar uma decisão e a serem verdadeiros homens; estarão então aptos ao casamento.

9. Relações com os filhos casados – O problema da sogra

Depois do casamento seria de todo desejável que os noivos fossem morar em sua própria casa.

É muito difícil encontrar casais que vivam em perfeita harmonia com os pais e sogros, se moram juntos com estes; surgem quase sempre conflitos, discussões e brigas, difíceis de se evitar quando ninguém está preparado para isto.

Infelizmente, na maioria das vezes, pelo menos no início, o dinheiro não dá para alugar um ou dois cômodos com cozinha; então, só fica a solução de viver com os pais do noivo ou da noiva; se estes seguissem uma série de regras de psicologia das relações humanas, talvez pudessem evitar muitos conflitos; vamos citar alguns:

1) Evitar interferir nas discussões entre os recém-casados.

2) Evitar tomar partido nestas discussões.

3) Evitar criticar o casal porque quer sair à noite ou quer ir ao cinema quando já é tarde; em outras palavras, não interferir na vida do casal.

4) A sogra deve evitar dar ordens à nora e tratá-la como se fosse uma empregada; lembrar-se que uma mãe tem naturalmente ciúmes do seu filho, e que este ciúme, transformado em ódio pela nora, pode destruir a felicidade do seu filho.

5) Evitar fazer comparações e dizer "no meu tempo era diferente"; não esqueça que o seu tempo já passou e... sejamos sinceros, era a mesma coisa; só que a gente se lembra das boas coisas com muita facilidade e esquece ainda mais facilmente das coisas ruins.

10. Relações com os netos

A grande tentação para os avós é mimar os netinhos. Também há a tendência de pensar que sabem educar muito melhor que os seus filhos e então pulam por cima da autoridade destes:

"Vovó, mamãe não quer que eu vá brincar fora, de bola de gude". "Ora, minha filha, por que não deixa o Pedrinho ir brincar fora? O tempo está tão lindo! Vai, meu bem, a tua mãe vai deixar". Este tipo de conversa é muito mais

frequente do que se pensa; não há melhor maneira de pôr abaixo toda a autoridade da mãe, que a criança passará a respeitar cada vez menos; a tentação é muito grande para os avós; mas a educação dos netos deve pesar mais que tudo; podem ser carinhosos com eles, mas nunca autorizar algo sem perguntar primeiro a opinião dos pais.

5
Como conseguir obediência e disciplina?

Muitos pais pensam que basta dar uma ordem para serem obedecidos; e quando não o são, começam a gritar com a criança, a perder a calma; alguns chegam a bater-lhe.

Gritar com uma criança não adianta, pois ela se acostuma rapidamente a este tratamento e não reage mais; quanto aos castigos corporais, são eles hoje em dia banidos da educação pelas seguintes razões:

1) São contra o respeito que se deve a qualquer ser humano.

2) São herança de métodos pedagógicos antiquados.

3) A criança passa a não obedecer mais a nenhum outro processo a não ser este.

4) A criança, uma vez adulta, terá tendência a tratar todos os seus subordinados e suas próprias crianças com brutalidade e hostilidade. Por isto, é muito melhor recompensar a criança de vez em quando na ocasião em que tiver sido particularmente obediente ou trouxer boas notas da escola.

Embora existam certos castigos corporais tais como: privação de gulodice, de sobremesa, ficar de pé em um canto, castigos que são ainda muito utilizados, é preferível partir do próprio erro cometido para consertá-lo. Por exemplo:

Uma criança enraivecida joga a compota no chão; a mãe, da maneira mais natural e calma possível, lhe dirá: "Agora vá buscar um pano de cozinha e limpar o que sujou!"

A criança quebra um copo de estimação ao brincar com ele, apesar da interdição dos pais. Neste caso pede-se à criança para tirar de suas economias o bastante para substituir o copo quebrado; se não tiver dinheiro suficiente, ser-lhe-á adiantado e sacrificado o número de sorvetes correspondente ao preço do copo.

Há quase sempre possibilidade de substituir o castigo por uma reparação como consequência natural do erro. A criança assim será colocada muito mais perto da realidade da vida, aprendendo a reparar os erros cometidos.

1. As recompensas e os estímulos

Estamos desde a infância, inclusive no trabalho profissional, acostumados a receber mais castigos e repreensões do que recompensas e louvores, quando está comprovado que se obtém muito mais disciplina com estímulos que com castigos.

Eis alguns exemplos de estímulos:

• A criança tirou sete em português enquanto que nas últimas semanas só conseguia cinco: levar a criança ao circo ou ao parque de diversões, ou comprar um livro de histórias ou uma revista que goste.

• A criança ajudou a sua mãe a arrumar a cozinha ou a enxugar os pratos sem que isto lhe fosse pedido: agradecer e louvar a sua generosa iniciativa, dizendo: "você é uma boa menina; eu gosto muito de você".

• Durante toda a semana a criança obedeceu sem réplica aos seus pais: elogiá-la por isto e dar-lhe um pequeno presente tal como brinquedos, livros ou jogo.

2. Os brinquedos e os jogos

A criança que é indisciplinada e aborrece aos seus pais é criança que não está devidamente ocupada; a maior ocupação da criança é o jogo e o brinquedo; estes são para ela verdadeiros exercícios para aprender a viver e a conhecer o mundo.

Cada idade tem os seus brinquedos prediletos; vamos dar a seguir um quadro no qual colocamos quais os brinquedos preferidos pelas meninas e meninos nas diferentes idades.

Idades	Meninos	Meninas
De 6 a 12 meses	Chocalhos coloridos Campainhas Animais de borracha com apitos Papel para rasgar Corda Anéis brilhantes	Idem
De 1 a 2 anos	Bola para chutar Cubos para amontoar Carrinhos para empurrar Livros coloridos com imagens grandes Botões para colocar e tirar de uma caixinha Areia e água	Panelinhas Colherinhas Pratinhos
De 2 a 4 anos	Cubos Bastões de tamanhos e cores diferentes Bolas de gude Cartões postais Urso Vidrinhos Areia e água Bola Papel e lápis grande de cor	Bonecas Idem

De 4 a 6 anos	Pintura Desenho Recorte de papel Cubos e encaixes Caminhões Carros de bombeiro Carpintaria Música de rádio Jogos de construção	Bonecas Panelas Pratinhos Xicrinhas Colherinhas Casinha de boneca Costura e bordado Dança e balé
De 6 a 8 anos	Latas Aviões de papel Papagaios Navios de papel ou madeira Livros Desenho Pintura Modelagem em barro Automóveis	Idem ao precedente Vestir as bonecas Dar banho nas bonecas Saltar corda Pintura Desenho Modelagem Cozinha da boneca Mãezinha Professora
De 9 a 10 anos	Futebol Modelagem Livros Bicicleta Jogo de damas Pingue-pongue	Idem ao precedente
De 11 anos e mais	Coleções (selos, pedras, etc.) Xadrez Futebol Fotografia Pesca Leituras Mecânica Luta Pintura Desenho Instrumento de música Excursões com colegas	Costura Bordado Tricô Cozinha Encadernação Pintura Desenho Balé Passeios

São nestas atividades que a criança encontra o alimento necessário ao bom desenvolvimento do espírito e do corpo; enquanto a criança brinca, seus pais terão tranquilidade e o descanso que merecem.

Há também necessidade de programar passeios nos domingos, onde as crianças têm prazer de ficar em contato com os pais.

3. A coordenação da autoridade

Quando um dos pais disse alguma coisa ou deu alguma ordem, é necessário que seja apoiado pelo seu cônjuge; se papai disse uma coisa e mamãe o contrário, então está desmoralizada a autoridade dos pais e a criança acaba fazendo o que quer, aproveitando-se da situação.

Pais unidos têm filhos equilibrados e obedientes; pais desunidos têm filhos instáveis e indisciplinados.

4. O vaivém dos sentimentos

Papai tem na usina um mestre muito nervoso; hoje o mestre gritou com papai; papai chegou aborrecido e grita

com mamãe; mamãe não gosta disto, mas não responde; fica entretanto mal-humorada; chega a menina e pede um paninho para sua boneca; mamãe grita que a deixe em paz; a menina chora e vai pedir consolo ao pai que está melhor humorado, pois já desabafou; fica de novo aborrecido, pois não entende por que a sua esposa não deu um paninho à menina, pois o armário está cheio de paninhos; chega aborrecido na usina e briga com um co-

lega. E a história não tem fim. Mostra apenas que o mau e o bom humor se transmitem como uma doença; a maioria dos pais precisam saber disto, a fim de melhorarem as relações com os filhos.

6

Como evitar problemas nas relações entre pais e filhos e como tratá-los

Há certos problemas como a timidez, o ciúme, o medo, a teimosia, a desonestidade, que merecem estudo especial, a fim de saber-se qual deve ser a atitude dos pais nestes casos, chamados também casos-problema ou casos de crianças com problemas.

1. Pais com problemas e crianças com problemas

A maioria das crianças-problema é assim porque os pais também são problemas.

"Cuidado, você vai cair!" "Cuidado, você vai se machucar!" – "Coloque a blusa senão você vai se resfriar!" – "Você não pode sair com seus amiguinhos porque pode ser apanhado por um automóvel" "Minha filha, eu vou com você até o colégio porque há homens feios que costumam abusar das mocinhas."

Existem mães que passam o dia inteiro falando assim com os filhos; ao invés de proteger seus filhos, elas os superprotegem, e os efeitos são desastrosos.

Uma criança é como uma planta que cresce; precisa ser regada com água, mas se se põe água demais a planta se afoga. Da mesma forma, a superproteção à criança impedirá o desenvolvimento normal da sua personalidade.

A criança precisa brincar, correr, experimentar, mexer nas coisas, ter amiguinhos.

Mãe que superprotege o filho é, em geral, assim, porque é angustiada, medrosa e infeliz.

Pais muito autoritários e demasiadamente exigentes dificilmente terão filhos bem equilibrados. Cada um reage de acordo com a sua natureza à pressão exagerada dos pais.

Os tímidos de natureza fecham-se ainda mais dentro de si mesmos, escondendo as mágoas. Os agressivos tornam-se revoltados, não podendo mais tarde trabalhar sob a chefia de ninguém, e quando lhes for dada uma chefia, por imitação inconsciente de seus pais, serão autoritários e ditatoriais. Verifica-se o mesmo comportamento com os próprios filhos.

É interessante notar que o hiperautoritarismo se transmite em certas famílias de pais a filhos. É difícil saber qual a parte da hereditariedade e do meio neste fato; porém muitos pais, quando tomam consciência de que nas suas atitudes com os seus filhos estão agindo como seus próprios pais agem, modificam-nas em benefício da sua prole.

"Bobo!" grita a criança para o irmão. "Malcriado! Isto não se diz; já lhe disse várias vezes que você não deve usar esta palavra!" responde a mãe, que há apenas uma hora tinha tratado a sua amiga de "boba", na frente da criança.

Criança que diz palavrões ou que bate nos outros, na maioria das vezes está, inconscientemente, imitando os pais, sobretudo quando ainda não frequenta a escola, quando está submetida só à influência paterna.

A metade da educação se faz pelo processo da imitação; a criança imita o que há de positivo e o que há de ne-

gativo nos pais; estes não podem queixar-se de ter filhos malcriados, pois foram eles mesmos que criaram mal, através do exemplo; há mais pais-problema que crianças-problema!

Por isto, a melhor maneira de evitar que os seus filhos soltem palavrões é dar o bom exemplo, utilizando uma linguagem correta.

Existe, porém, a contaminação de palavrões nos colégios; a criança chega em casa imitando e repetindo o que ouviu na escola, em geral sem saber a significação real das palavras; um esclarecimento sério feito pelo pai resolve o problema; basta insistir sobre o fato de que "isto não se diz". Se os pais têm prestígio e influência sobre o filho será tarefa fácil.

2. *A timidez*

A timidez excessiva dos filhos deve ser encarada com seriedade. Provém de um complexo de inferioridade cul-

tivado pelos pais ou irmãos. "Você é burro", "Você não serve para nada, nunca será nada na vida", são frases que desenvolvem na criança sentimento de insegurança e não a deixam confiar em si mesmas; geram a timidez, que poderá acompanhá-la durante toda a vida, prejudicando suas relações sociais futuras.

O excesso de castigos, sobretudo os corporais, leva um filho à timidez, passando, em geral, a ter atitude de cão batido.

As crianças superprotegidas, criadas em algodão, podem tornar-se tímidas quando em contato com um novo ambiente, como por exemplo a escola.

Há, porém, indivíduos que são tímidos por natureza.

Convém estimular as crianças tímidas dando-lhes pequenas responsabilidades, louvando-as nos acertos ou numa boa ação, evitando as críticas e castigos.

3. *O ciúme*

"Olhe o seu irmãozinho, como come direitinho!" – "Vamos ver qual de vocês dois vai tirar as melhores notas no colégio?" – "Um prêmio a quem resolver este problema" – tais são as frases que se repetem em muitas famílias e colégios.

Professores e pais, quando agem assim, mostram-se partidários do método da emulação entre crianças e ado-

lescentes com o fim de obter o máximo de rendimento; é verdade que o rendimento aumenta realmente em muitos casos e que as notas melhoram, mas isto se faz à custa de sacrifícios íntimos que os educadores não reparam na hora, mas que os psicólogos observam quando examinam crianças neuróticas.

A emulação tem inconvenientes tão sérios que é melhor não utilizar este recurso; os inconvenientes são os seguintes:

1) A emulação cria ciúmes entre irmãos ou alunos.

2) A emulação favorece o nascimento ou desenvolvimento do complexo de inferioridade nas crianças que não conseguem vencer.

3) O complexo de inferioridade, por sua vez, aumentando a insegurança, desenvolve o medo de não poder ter êxito, o medo dos exames, enfim a neurose do fracasso que faz com que muitas pessoas adultas não consigam vencer na vida, não porque não podem, mas porque estão convencidas de que nunca darão para nada, pois "os outros" estiveram sempre na frente.

4) O orgulho e o pedantismo nos que sempre vencem sob a ação de emulação.

4. O medo

É natural que a criança sinta medo à noite em certas fases de sua evolução.

Entretanto, se este medo vier a prolongar-se, é razão para que os pais olhem o problema com seriedade.

Às vezes, escutamos pais ameaçarem crianças com bicho-papão, saci-pererê, ladrão, a fim de conseguirem obediência.

Choques emocionais podem advir à noite quando a criança, que erradamente está dormindo no quarto dos pais, ouve coisas indevidas.

Um filho pode manifestar medo a fim de, inconscientemente, obter a presença da mãe até conseguir dormir.

Deve-se, como prevenção:

1) Habituar a criança desde cedo a dormir só, ou com outras crianças (luz apagada).

2) Evitar ameaças de ladrões, etc.

3) Fechar a porta de comunicação entre o quarto da criança e o dos pais.

5. Brigas e rebeldia

Crianças irritáveis, rebeldes, contraditórias, briguentas, podem, de forma genérica, denominar-se agressivas. A agressividade pode ser ocasionada por: distúrbio glandular, estado infeccioso, doença mental. Há crianças que possuem base constitucional para a agressividade; são, em geral, muito fortes e com muita energia para gastar!

Quando um pai bate no filho, este pode fazer o mesmo com seus colegas, quer por imitação, quer por vingança inconsciente.

Quando a agressividade é dirigida contra determinada pessoa (pai, mãe, irmão) talvez a causa seja a incompreensão dos educadores ou ciúmes inconscientes, cujas origens precisam ser descobertas.

A conduta em geral a tomar com crianças agressivas deve ser de diplomacia, firmeza sem brutalidade; nunca voltar atrás no que foi decidido (sobretudo quando a criança tem uma crise agressiva), e... muita paciência! Canalizar as energias da criança em esportes, trabalhos manuais, etc.

6. Roubos e mentiras

Se tem uma criança que praticou um furto, tome cuidado antes de castigá-la! É indispensável saber que a maioria das crianças cometem tal ato na época em que ainda não têm noção muito clara da propriedade e da moral, bastando portanto uma explicação de que "isto não se faz porque devemos respeitar o que pertence a outrem".

Há outras, porém, que furtam por insatisfação, porque se acham esquecidas ou sofreram injustiça dos pais ou professores: neste caso, o furto é simples sintoma de complexo de inferioridade; deve-se, portanto, estimular e valorizar estas crianças.

Um outro tipo é o furto altruísta: a criança furta para dar aos outros, muitas vezes para ser admirada, caindo na categoria precedente.

O furto por gulodice é frequente nas crianças gordas, e desaparecerá com a idade.

Muitos débeis mentais furtam porque não têm inteligência suficiente para compreender o alcance do seu ato.

Se o hábito de furtar se prolongar, apesar das medidas sugeridas, numa idade adiantada, o caso deve ser examinado por um especialista.

Quanto à mentira, convém também tomar muito cuidado antes de punir uma criança por isto, pois existem vários tipos de mentira:

1) Por excesso de imaginação: convém fazer voltar a criança à realidade mostrando-lhe os fatos.

2) A mentira de defesa provocada pelo medo de ser punida.

3) Há idades, como a de três a cinco anos, em que a criança parece mentir quando na realidade está convencida de que está dizendo a verdade; isto provém do fato de que a criança não raciocina como o adulto.

7. *O problema da cegonha*

Muitos são os pais que pensam que é condenável responder com a verdade quando a criança pergunta: "Como foi que eu nasci?... De onde eu vim?..." É incrível como a história da cegonha está criando problemas para os pais e os filhos; estes, porque não lhes contaram a verdade, perdem a confiança nos pais e são levados a imaginar coisas completamente erradas; não podendo mais falar neste assunto com os pais, passam a fazer disto um segredo, e

muitas vezes são levados por colegas a cercar coisa tão bela, como o nascimento, de ideias *sujas* e condenáveis. É muito melhor dizer a verdade, fazendo comparações com os gatinhos ou outros animais, o que a criança compreende muito bem.

Quanto à masturbação que aparece na adolescência, é um fenômeno passageiro, sobre o qual não convém fazer uma tragédia. Castigar a criança é arriscar-se a criar problemas tremendos que a podem perseguir a vida toda; insistir no fato de estarem crescendo e que convém trabalhar e cansar-se nos esportes.

8. *O problema da droga*

De uma hora para outra inúmeros pais se encontram diante de um problema que não somente os assusta, mas na maioria das vezes os paralisa, pois se sentem impotentes diante dele.

De repente, o menino ou menina, de doze anos ou mais, muda de comportamento. Deita tarde, levanta tarde. As notas escolares baixam ou se tornam irregulares; descobre-se que a frequência à escola diminui, as relações de amizade mudaram. Às vezes os pais são chamados à polícia: o filho ou a filha foi preso por uso de maconha ou outro produto dito psicodélico.

O que fazer? Pergunta difícil de responder, sem conhecimento profundo do problema da droga, que na realidade é extremamente complexo.

Por que os jovens tomam droga? Eis a primeira pergunta a que se deveria procurar uma resposta. É o que vamos fazer agora. Os motivos principais são os seguintes. Eles podem existir de modo isolado ou coincidir entre si:

1) O uso da droga como protesto à "proibição". Sabemos que a adolescência é bem conhecida como a idade do protesto, da rebelião contra qualquer tipo de imposição; é a idade da libertação progressiva e da procura de autonomia; mais autocratas serão os pais, e maior probabilidade haverá de ter filhos adolescentes rebeldes. Tomar droga entrará então neste contexto de protesto, o qual se estende muitas vezes à área de tomada de posição política.

2) Certas drogas têm efeitos análogos ao álcool e ao fumo e são usadas pelas mesmas razões que estas duas drogas permitidas: provocam um alívio de tensão, um esquecimento da vida diária; são instrumentos de fuga dos problemas do lar ou do trabalho ou das tensões pessoais. Quanto maiores, por conseguinte, as tensões a que são submetidos os jovens, maior será a probabilidade de eles tomarem drogas.

3) São milhões de jovens que usam atualmente drogas no mundo inteiro. Nas rodas de amizade é difícil hoje um jovem não ter um ou vários amigos que tomam ou já tomaram alguma droga, falando dela e convidando o amigo a experimentá-la. Surge então um novo motivo: a curiosidade. O jovem quer saber de que se trata; por que tanta gente procura este tipo de vivência? Como a curio-

sidade é sinal de inteligência, quanto maior a inteligência, maior a probabilidade de tomar droga.

4) Mas o que constitui o maior motivo ainda e o que é menos conhecido pelo "leigo" é o que se passa durante a experiência da droga. A maioria dos que se submeteram a este tipo de experiência tem dificuldade em expressar em linguagem corrente as vivências havidas. Entre si, conseguem falar e se fazer compreender; mas é praticamente impossível, com raras exceções, que os pais compreendam o que se passa realmente durante o que eles chamam de *trip* ou viagem. Vamos fazer um resumo das pesquisas científicas feitas a respeito:

• Trata-se de uma verdadeira viagem dentro do próprio ser.

• Há um aumento das percepções e sensações que se tornam bastante acuradas.

• Há um alargamento do campo da consciência. Isto significa que muitos, mas nem todos, passam a se enxergar com muito mais clareza, nitidez e compreensão do que no estado sem droga. Veem tudo que é falso, mesquinho e verdadeiro dentro de si mesmos e dentro dos outros.

• Desenvolvem-se sentimentos de paz, pureza fraternais para toda a humanidade. É o que explica as tendências pacíficas e pacifistas da maioria dos que tomaram a droga.

• Alguns chegam a ter experiências parapsicológicas, tais como clarividência, premonição, clariaudiência e telepatia, estes fatos muitas vezes, verificados objetivamente pelos autores e pesquisadores do assunto.

• Outros atingem níveis de consciência que lembram as experiências místicas, com características de inefabilidade, unidade, saída do espaço tridimensional e entrada na dimensão por Einstein; passam a perceber outro tipo de realidade micro e macrocósmica; sentem-se unos com outros seres, têm visões beatíficas.

• Às vezes, quando o estado de espírito é tenso ou o ambiente exterior é de frieza, tensão ou medo, desenvolve-se uma viagem ruim (*bad trip*). O jovem vive, então, estados interiores pavorosos que são na realidade reviviscência de traumatismos remotos, da primeira infância, do nascimento, da vida intrauterina ou de vidas anteriores através de memória genética ou outros registros desconhecidos.

Estas vivências aumentam a distância entre os pais e os filhos, já que aqueles não têm, salvo exceções, nenhum preparo para compreender o que se passa, e estes não têm meios de expressar o que está sucedendo. O medo de serem denunciados ou descobertos pela polícia aumenta ainda mais o isolamento em que os jovens se encontram. Resta-lhes então somente o se encontrarem entre si.

De outro lado, a falta de preparo para entender o que se passa com eles mesmos faz com que alguns entrem em estado de psicose provisória ou permanente. Quanto maior o contraste entre esta nova realidade vivida e a realidade cotidiana, maior o desespero, maior a depressão e a "fossa" posterior.

Vem então a questão capital: o que fazer?

As respostas são múltiplas e decorrem da própria análise que acabamos de fazer. Em primeiro lugar, convém se colocar de um ponto de vista profilático, em se tratando de jovens que ainda não tomaram droga; nestes casos, nada como um ambiente verdadeiro, sadio em que se cultivam os grandes valores da humanidade; pais amigos, compreensivos que souberam comunicar o verdadeiro amor, dificilmente terão filhos à procura de droga. Uma orientação franca a respeito da droga poderia compreender os seguintes pontos:

1) Mostrar em primeiro lugar que o uso da droga é proibido por lei, mas que existem drogas permitidas como o álcool e o fumo, também perigosos.

2) Mostrar que esta proibição se fundamenta nos perigos que o uso de drogas constitui, entre outros:

- Risco de deflagrar uma doença mental.
- Risco de sair definitivamente da realidade cotidiana.

• Risco de cair numa dependência da droga e de ter de usar doses cada vez maiores para obter os mesmos resultados.

• Perda, a longo prazo, da capacidade de obter estados de alargamento do campo da consciência, por meios naturais.

3) Indicar os caminhos naturais de alcance de estados superiores de consciência. Estes caminhos devem ser escolhidos livremente em função da orientação filosófica de cada um. Lembramos alguns: Meditação, Ioga nos seus diferentes ramos, Zen, Teosofia, Antropologia, Arica-Training, Cosmoeducação, Rosa-Cruz, Logosofia, grupos de Gurjeieff. O problema de cada um será o de descobrir um mestre, ou uma organização idônea que cuide deste tipo de iniciação, sem os riscos de deterioração da droga.

No caso de os pais saberem que o jovem está tomando droga, será preciso muita compreensão; um ou vários diálogos serão necessários. Quando falo diálogo, me refiro a uma conversa real, em que se deixa o adolescente expressar livremente, sem temor de represálias, tudo o que se passa com ele. Em função deste diálogo e desta conversa, várias decisões poderão ser tomadas, se possível de comum acordo:

• Decisão de parar de tomar droga.

• Se o jovem chegou à conclusão, como acontece em muitos casos, de que ele precisa continuar por meios naturais o seu desenvolvimento espiritual, indicar-lhe os meios a que nos referimos. Conheço tanto no Brasil como na Índia grupos espirituais de várias orientações filosóficas que recuperaram completamente jovens; estes afirmam que o tipo de experiência interior que alcançaram é incomparavelmente superior ao que a droga lhes deu; de outro lado, a experiência está debaixo do seu próprio controle; eles aplicam na vida cotidiana o que vivem nos estados contemplativos e se resume em ser sincero, verdadeiro e preferir realizar o trabalho e as atividades cotidianas com amor e perfeição; aprendem a viver nos dois planos da realidade.

Um dos papas do LSD nos Estados Unidos o Dr. Richard Allpert da Universidade de Harvard, deixou de tomar droga, depois de ter sido iniciado por um grande santo na Índia. Hoje se dedica a divulgar as ideias que estamos expondo aqui.

• Se ficar constatado que o jovem está usando drogas com uma dependência completa a elas, o que acontece sobretudo no caso da heroína e do ópio, haverá necessidade do tratamento psiquiátrico especializado. Existem nos EUA organizações, como Daytop, por exemplo, que cuidam da recuperação de drogados por meios puramente educativos e naturais. Em nosso país também aumenta sempre mais esse tipo de organização.

• Em certos casos a psicanálise ou psicoterapia de grupo e psicodrama são indicados.

Sei que alguns conceitos aqui emitidos serão contestados por alguns especialistas em drogas; infelizmente a fragmentação da ciência chega a um ponto em que uma especialidade como, por exemplo, no caso presente, a farmacologia, já não consegue acompanhar o progresso de outros ramos como a psicologia transpessoal, que colocou em relevo a realidade dos fenômenos vividos pelos

drogados. Refiro-me aqui aos resultados de centenas de pesquisas, algumas das quais cito na bibliografia para os interessados (cf. especialmente GROF, 1975).

Se me estendi tanto sobre o problema da droga, sem poder infelizmente discutir todos os seus aspectos, é porque sei, como psicoterapeuta, o quanto este problema afeta as relações familiares e porque sei também que, embora ele nos traga ameaça de deterioração da mente humana e da sobrevivência da sociedade, contém paradoxalmente uma mensagem de existência de uma realidade mais ampla, realidade que pode ser descoberta por cada um de nós, sem precisar passar pelos perigos da droga.

Conclusões

Não pretendemos ter esgotado o assunto de relações humanas neste livro, pois nem em tratados volumosos poderíamos encarar todos os aspectos que o envolvem.

Se conseguirmos fazer sentir ao leitor o que ele pode realizar, para tornar mais agradáveis, construtivos e eficientes, na realização dos seus objetivos, os grupos sociais, que dirige ou a que pertence, já estaremos satisfeitos.

Se, ainda, o leitor decidiu transformar as suas atitudes durante as atividades do grupo, a fim de tornar realidade os princípios aqui esboçados, teremos a convicção de ter escrito algo de útil.

Vimos como são complexos os problemas que surgem nos grupos sociais; quanto é delicada a missão do *líder* que, além de escolher bem os seus colaboradores, deve ainda coordenar os esforços de cada um, evitando conflitos entre os membros do grupo.

Equipes de psicólogos, de sociólogos, de médicos e de assistentes sociais se esforçam por colocar à disposição dos líderes, dos administradores e economistas, os conhecimentos de suas especialidades e a sua dedicação, para evitar ou resolver problemas de relações humanas. Costumam eles considerar um grupo social desunido como um órgão doente, que precisa de diagnóstico e tratamento.

O mundo atual é um grande grupo social, o maior e, provavelmente, o mais doente. Precisa de um ou vários institutos de estudo de relações humanas internacionais, que indiquem os meios para manter a paz entre as nações do mesmo modo que, como o mostrou o presente livro, se mantém a paz em grupos menores. Talvez seja utopia, mas, pelo menos, que se tente alguma coisa neste sentido.

É o que realizaram várias universidades no mundo, criando institutos de pesquisa da paz; um sociólogo francês até inventou um novo nome: a Polemologia, ou Estudo dos Conflitos.

Quanto às relações humanas na família, visamos apenas dar ao leitor linhas gerais sobre a melhor maneira de evitar problemas; isto se pode fazer, sobretudo, antes do casamento; durante o namoro e às vezes o noivado, devem e podem ser evitados casamentos infelizes, não somente através de boa escolha dos cônjuges, mas ainda do seu preparo para a vida conjugal; não basta a leitura desta obra para preparar um bom casamento; convém organizar cursos para noivos, onde os futuros cônjuges possam receber esclarecimentos de orientadores especializados, cursos durante os quais os alunos seriam examinados, do ponto de vista físico e mental, a fim de evitar enlaces precipitados ou desaconselháveis.

Quanto aos problemas conjugais sérios, tais como incompatibilidade de gênio, impotência sexual, frigidez feminina ou infidelidade conjugal, consideramo-los tão complexos que julgamos perigosos dar algum conselho nestas páginas; cada caso é diferente, e depende de inúmeros fatores que só o especialista consegue descobrir, quando a utilização do bom-senso não mais se revela suficiente.

Os especialistas em questão são, conforme o caso, o psiquiatra, o psicólogo, o sociólogo, o assistente social ou educador especializado. É, justamente, uma das funções desses especialistas ajudar as pessoas na resolução dos seus problemas de ajustamento à família; por isso, se o leitor tiver algum problema sério que não conseguiu resolver, convém procurá-los.

Pessoas que mantêm um lar equilibrado através de relações humanas harmoniosas com seu cônjuge possuem

verdadeiro tesouro que convém cercar de todo o carinho, a fim de conservá-lo, não somente pela felicidade que traz consigo, mas ainda porque a vida familiar tem influência muito grande sobre a educação dos filhos, e também sobre a vida profissional; pais desunidos terão muitas vezes filhos instáveis, angustiados e infelizes; da mesma forma, na vida profissional, os psicólogos notaram que muitos acidentes de trabalho são provocados por pessoas com problemas conjugais.

Esperamos que este livro ajude os leitores a terem um lar verdadeiro, onde as crianças possam crescer e evoluir normalmente e onde encontrem fonte inesgotável de paz íntima e de renovação espiritual.

Bibliografia

ALLENDY & LOBSTEIN. *Le problème sexuel à l'ecole*. Paris: Montaigne.

A.M.A. *Effective communication on the job*. Nova York: American Management Association, 1956.

_____. *Leadership on the job* – Guides to good supervision. Nova York: American Management Association, 1956.

ANCELIN SCHUTZENBERGER, A. "Situation du T. Group au NTL de Béthel". *Bulletion de Psychologie*. Paris: Sorbonne, 1959.

ANTIPOFF, H. "As duas atitudes". *Revista do Inep*, 30, set.-out./1947. Rio de Janeiro.

ANZIEU, D. *Le psychodrame analytique chez l'enfant*. Paris: PUF, 1956.

ARDOINEAU, J. "Le groupe de diagnostic, instrument de formation". *Trav. et Docum.*, cahier n. 5, 1963. Bordeaux.

_____. "Sur quelques aspects psychosociologiques des problèmes de communication et d'information dans les groupes de travail et les organizations". *Trav. et Docum.*, cahier n. 4, 1962. Bordeaux.

AZEVEDO, F. *Sociologia educacional*. Rio de Janeiro/São Paulo: Nacional, 1940.

BALCÃO, Y.F. & LEITE, L. *O comportamento humano na empresa*. Rio de Janeiro: FGV, 1967.

BARROS, S. *Orientação e seleção profissional*. São Paulo: Pioneira, 1963.

BELLOWS. *Psychology of personnel in business and industry*. Nova York: Prentice Hall, 1949.

BERLO, D.K. *O processo da comunicação*. São Paulo: Fundo de Cultura, 1968.

BERNE, E. *Os jogos da vida e a análise transacional nas relações entre as pessoas*. Rio de Janeiro: Artenova, 1975.

BLAKE & MOUTON. *The managerial grid*. Houston: Gulf, 1966.

_____. *Como tomar decisões*. São Paulo: Herder, 1965.

BOUDREAU, A. *Connaissance de la drogue*. Bruxelas: Marabout, 1972.

BOVET, P. *L'Instinct combatif*. Paris: Flammarion, 1928.

BROWNE, C.G. "Study of executive leadership in business – Sociometric Paterns". *J. of Ap. Psych.*, 35, fev./1951.

BÜHLER, Ch. *Niño y su familia*. Buenos Aires: Paidós, 1955.

CALHOON, R.P. & NOLAND, W.W. *Cases on human relation in management*. Nova York: MacGraw-Hill, 1958.

CARVALHO, I.M. *Introdução à psicologia das relações humanas*. Rio de Janeiro: Aurora, 1957.

CHRIS, A. O indivíduo e a estrutura orgânica. In: *O comportamento humano na empresa*. Rio de Janeiro: FGV, s.d.

_____. A eficiência da organização sob tensão. In: BALCÃO, Y.F. & CORDEIRO, L.L. *O comportamento humano na empresa*. Rio de Janeiro: FGV, s.d.

_____. *Personalidade e organização*. Rio de Janeiro: Renes, 1969.

_____. A compreensão do comportamento humano nas organizações: um ponto de vista. In: HAIRE, M. *Teoria da Organização Moderna*. São Paulo: Atlas, 1966.

COSTA PINTO, L. *Aulas de sociologia aplicada à orientação profissional*. Rio de Janeiro: Senac, 1954.

DAVIS, K. *Human relations in business*. Nova York: MacGraw-Hill, 1957.

DAYA, E. *Relações humanas na indústria*. Rio de Janeiro: FGV.

DEVAL, P. & DUBAL, G. *L'Amour heureux*. Genève: Mont-Blanc s.d.

DEUTSCH, H. *La psychologie dês femmes*. Paris: PUF, 1949.

DRUCKER, P. *O gerente eficaz*. Zahar. Rio de Janeiro, 1968.

_____. *Prática de administração de empresa*. Rio de Janeiro: Fundo de Cultura, 1962.

DUBIN, R. A organização e a pessoa – Metas do pessoal x metas da organização. *Human relations in administration*, 1961 [s.n.t.].

EASP/Centro de Pesquisas e Publicações. *Produção-casos de administração da produção*. Rio de Janeiro: FGV, 1968.

ESCARDO, F. *Anatomia de la familia*. Buenos Aires: Ateneu, 1955.

ETZIONI, A. *Organizações complexas*. São Paulo: Atlas, 1967.

_____. *Organizações modernas*. São Paulo: Pioneira, 1964.

FAUCHEUX, C. "Théorie et technique du groupe de diagnostique". *A Bull. Psych*. Paris: Sorbonne, 1959.

FOMBEUR, J.J. *Formation en profondeur, mythes et réalités*. Paris: Cepro, 1962.

FONTANA. *Psicoterapia com LSD*. São Paulo: Mestre Jou, 1969.

FRAISSE et al. *Repport de la mission psychotechnique française aux Etats-Unis*. Paris: CPA, 1953.

FRIEDMANN, G. *Problèmes humains du machinisme industriel*. Paris: Gallimard, 1956.

GESELL & I.L.G. *L'Enfant de 5 à 10 ans*. Paris: PUF, 1949.

_____. *Le jeune enfant dans la civilisation moderne*. Paris: PUF, 1949.

GIRORD, R. *Attitudes collectives et relations humaines*. Paris: PUF, 1952.

GISCARD, P.H. *La formation et le perfectionnement du personnel d'encadrement*. Paris: PUF, 1958.

GOGUELIN, P. Recherches sur le résultat du test sicométrique de Moreno dans un centre d'apprentissage. *Travail Humain*. Paris, 1951.

GOMES, M.P.D. *Processo decisório*. Rio de Janeiro: FGV, 1965.

GORDON, Th. "Les fonctions thérapeutiques du 'Group Centered Leader'. *Rééducation*, 39, abril/1952. Paris.

GOULDNER. *Studies in leadership*. Nova York: Harper and Brothers, 1950.

GREIG. *Princípios e objetivos da gerência para direção das empresas*. São Paulo: MCB, s.d.

GROF, S. *Realms of the human unconscious*. Nova York: Viking, 1975.

HAIRE, M. *Psicologia aplicada à administração*. São Paulo: Pioneira, 1968.

HANNFORD EARLE, S. *Conference leadership in business and industry*. Nova York/London: MacGraw-Hill, 1945.

HOYLERS. *Manual das relações industriais*. São Paulo: Pioneira, 1969.

HUXLEY, A. *As portas da percepção*: o céu e o inferno. Rio de Janeiro: Civilização Brasileira, 1966.

JAMESON, S.H. *Administração de pessoal*. São Paulo: FGV, 1963.

KERR et al. *Industrialismo e sociedade industrial*. Rio de Janeiro: Fundo de Cultura, 1969.

KLEIN, J. *O trabalho de grupo*. Rio de Janeiro: Zahar, 1965.

KLINEBERG, O. *Psychologie sociale*. Paris: PUF, s.d.

KRECH & CRUTCHFIELD. *Theories and problems of social psychology*. Nova York: MacGraw-Hill, 1948.

LAGACHE, D. *La jalousie amoureuse*. Paris: PUF, s.d.

LAIRD, D.A. & E.C. *Practical business psuchology*. Nova York: Gregg Publishing/MacGraw-Hill, 1951, p. 459.

LAIRD, D. & LAIRD, E. *The technique of handling people*. Nova York: MacGraw-Hill, 1954.

LEAVITT, H.J. *Direção de empresas*. São Paulo: Fundo de Cultura, 1963.

LEWIN, K. *Psychologie dynamique*. Paris: PUF, 1959.

_____. *Resolving social conflicts*. Nova York: Harper, 1948.

LIKERT, R. *Novos padrões de administração*. São Paulo: Pioneira, 1968.

LING, Th. & PACHECO E SILVA, A.C. *Higiene mental e relações humanas na indútria*. São Paulo: Edigraf, s.d.

LINK, H. *Social effectiveness and leadership in had-book of applied psychology*. Nova York: Rinehart, 1950.

LODI, J.B.A. *Desenvolvimento de executivos*. São Paulo: Pioneira, 1968.

_____. *Recrutamento de pessoal*. São Paulo: Pioneira, 1963.

LOOSLI USTERI, M. *Les enfants difficiles et leur milieu familial*. Neuchâtel: Delachaux et Niestlé, 1935.

LOURENÇO FILHO, M.B. *A discussão dos trabalhos em seminário*. Rio de Janeiro, 1934.

McGREGOR, D. Condições de liderança eficaz na organização industrial. In: BALCÃO, Y.F. & LEITE, L. *O comportamento humano na empresa*. Rio de Janeiro: FGV, 1967.

_____. O lado humano da empresa. In: BALCÃO, Y.F. & LEITE, L. *O comportamento humano na empresa*. Rio de Janeiro: FGV, 1967.

_____. *Os aspectos humanos da empresa*. Lisboa: Clássica, 1965.

MAIER, N.R.E. *Principles of human relations*. Nova York/ Londres: John Wiley and Sons/Chapmann and Hall, s.d.

_____. *Princípios de relações humanas*. Rio de Janeiro: Record, 1966.

MAISONNEUVE, J. "Discussion de groupe et formation de cadres". *Sociol. du Trav.*, jan.-mar./1960. Paris: Du Seuil.

MARCH, J.G. & SIMON, H.A. *A Teoria das Organizações*. Rio de Janeiro: FGV, 1966.

MASLOW, A. *Toward a psychology of being*. Nova York: Van Nostrand, 1962.

MASON, H. *Teoria da Organização Moderna*. São Paulo: Atlas, 1966.

MATTA, J.E. *Dinâmica de grupo e desenvolvimento de organizações*. São Paulo: Pioneira, 1975.

MAY, R. *O homem à procura de si mesmo*. Petrópolis: Vozes, 1972.

McLUHAN, M. *Os meios de comunicação como extensão do homem*. São Paulo: Cultrix, 1969.

MEIGNIEZ, R. "Présentation du groupe centré sur le groupe". *L'Information Psychologique*, 7, ago./1962. Nantes.

MILES MATHEW, B. *Aprendizagem do trabalho em grupo*. São Paulo: Cultrix, 1959.

MIRA Y LOPES, E.R. *Psicologia evolutiva da criança e do adolescente*. Rio de Janeiro: Científica, 1946.

MOITINHO, A.P. *Tratado de ciências administrativas*. Rio de Janeiro, 1950.

MORENO, J.L. *Les fondements de la sociométrie*. Paris: PUF, 1954.

MOSCOVICI, F. *Desenvolvimento interpessoal*. Rio de Janeiro: LTC, 1975.

______. *Laboratório de sensibilidade*. Rio de Janeiro: FGV, 1965.

NAHOUM, Ch. *L'Entretien psychologique*. Paris: PUF, 1957.

NOGUEIRA, C. *Os microtraumatismos na empresa comercial*. Rio de Janeiro: Associação Comercial, 1952.

PAGÈS, M. "Eléments d'une sociothérapie de l'entreprise". *Hommes et techniques*. Paris, 1959.

PALMADE, C. "Sessions et séminaires dês perfectionnements aux relations humaines dans le travail". *Hommes et techniques*. Paris, 1959.

PEREIRA, H.B. *Instrução programada*. São Paulo: Forense, 1970.

PEREIRA DE SOUZA, E.L. *Desenvolvimento organizacional*. São Paulo: E. Blücher, 1975.

PERRY, J. *Las relaciones humanas em la industria*. Buenos Aires: Seleción Contable, 1957.

PIGNATARI, D. *Informação, linguagem, comunicação*. São Paulo: Perspectiva, s.d. [Coleção Debates].

PROVOST. *La sélection dês cadres*. Paris: PUF, 1949.

RAMOS, A. *Introdução à psicologia social*. Rio de Janeiro: Ed. da Casa, 1957.

RICHARDSON, J.E. et al. *Studies in the social psychology of adolescence*. Londres, 1951.

ROBAYE, F. *Niveaux d'aspiration et d'expectation*. Paris: PUF, 1957.

RODRIGUES, A. *Psicologia social*. Petrópolis: Vozes, 1971.

ROETHLISBERGER et al. *Training for human relations*. Boston: Harvard University, 1954.

ROGERS, C. *Liberdade para aprender*. Veiga, 1970.

______. La communication, blocage et facilitation. *Hommes et Techniques*, 15, Paris, 1959.

SARTRE, J.P. *Critique de la raison dialectique*. Paris: Gallimard, 1960.

SELLIGMAN & JOHNSON. *Encyclopedia of the Social Sciences*, IX, 82. Nova York: McMillan, 1948.

SCHREIBER, S. *O desafio americano*. São Paulo: [s.e.], 1968.

SCHWARTZ, O. *La psychologie sexuelle*. Paris: PUF, 1955.

SHELDON, W.H. *Les variétés du tempérament*. Paris: PUF, 1950.

SILVA, B. *A era do administrador profissional*. Rio de Janeiro, 1956.

SIMON HERBERT, A. *A capacidade de decisão e de liderança*. Rio de Janeiro: Fundo de Cultura, 1960.

SLAVSON. *La psychothérapie de groupe*. Paris: PUF, 1953.

SLOAN, A.P. *Minha vida na General Motors*. Rio de Janeiro: Record, 1965.

SOUZA, D.S. *Frustração e distúrbios da personalidade*. Porto Alegre: Globo, 1945.

STRONG. *Psychological aspects of business*. Nova York: MacGraw-Hill, 1938, p. 559-578.

TART, C. *Transpersonal psychologies*. Nova York: Harper and Row, 1975.

TEAD, O. *The art of leadership*. Nova York: Mac- Graw-Hill, 1935, p. 17.

TIFFIN, J. *Industrial psychology*. Nova York: Prentice-Hall, 1952.

TIFFIN, Mc. *Psicologia industrial*. São Paulo: Herder, 1969.

VAN BOCKSTAELE, I.M. "Psychologie de group et socianalyse". *Encycl. Psych. et Pedag.* Paris: Nathan, 1962.

VIANNA, M.G. *Técnica diretiva*. Porto: Domingos Barreira, s.d.

VILANOVA MONTEIRO LOPES, T. *Problemas de pessoal na empresa moderna*. São Paulo: FGV, 1965.

VODER, O. et al. *Handbook of personnel management and labor relations*. Nova York: MacGraw-Hill, 1958.

WALTHER, L. *Psicologia do trabalho industrial*. São Paulo: Melhoramentos, 1952.

WALTERS, J.E. *Curso de relações humanas*. Rio de Janeiro: Senac, 1950.

WEBER, M. & HALL, R. *Sociologia da burocracia*. Rio de Janeiro: Zahar, 1966.

WEIL, P.G. Une expérience d'orientation psychologique et de formation du personnel au Brésil. *Soc. Française de Psych.* [s.n.t.].

______. *A consciência cósmica*. Petrópolis: Vozes, 1976.

______. *A mística do sexo*. Belo Horizonte: Itatiaia, 1976.

WEIL, P.G. et al. *Plano de pesquisas sobre os "líderes" e o pessoal de direção no comércio*. Rio de Janeiro: Senac, 1954.

YODER, D. *Administração do pessoal e relações industriais*. São Paulo: Mestre Jou, 1969.

ZAZZO, P. & KOSKOS. "Premières recherches de sociométrie dana une maison d'enfants". *Enfance*, 435. Paris, 1949.

Índice

CULTURAL

Administração
Antropologia
Biografias
Comunicação
Dinâmicas e Jogos
Ecologia e Meio Ambiente
Educação e Pedagogia
Filosofia
História
Letras e Literatura
Obras de referência
Política
Psicologia
Saúde e Nutrição
Serviço Social e Trabalho
Sociologia

CATEQUÉTICO PASTORAL

Catequese
Geral
Crisma
Primeira Eucaristia

Pastoral
Geral
Sacramental
Familiar
Social
Ensino Religioso Escolar

TEOLÓGICO ESPIRITUAL

Biografias
Devocionários
Espiritualidade e Mística
Espiritualidade Mariana
Franciscanismo
Autoconhecimento
Liturgia
Obras de referência
Sagrada Escritura e Livros Apócrifos

Teologia
Bíblica
Histórica
Prática
Sistemática

VOZES NOBILIS

Uma linha editorial especial, com importantes autores, alto valor agregado e qualidade superior.

REVISTAS

Concilium
Estudos Bíblicos
Grande Sinal
REB (Revista Eclesiástica Brasileira)
SEDOC (Serviço de Documentação)

VOZES DE BOLSO

Obras clássicas de Ciências Humanas em formato de bolso.

PRODUTOS SAZONAIS

Folhinha do Sagrado Coração de Jesus
Calendário de mesa do Sagrado Coração de Jesus
Agenda do Sagrado Coração de Jesus
Almanaque Santo Antônio
Agendinha
Diário Vozes
Meditações para o dia a dia
Encontro diário com Deus
Guia Litúrgico

CADASTRE-SE
www.vozes.com.br

EDITORA VOZES LTDA.
Rua Frei Luís, 100 – Centro – Cep 25689-900 – Petrópolis, RJ
Tel.: (24) 2233-9000 – Fax: (24) 2231-4676 – E-mail: vendas@vozes.com.br

UNIDADES NO BRASIL: Belo Horizonte, MG – Brasília, DF – Campinas, SP – Cuiabá, MT
Curitiba, PR – Florianópolis, SC – Fortaleza, CE – Goiânia, GO – Juiz de Fora, MG
Manaus, AM – Petrópolis, RJ – Porto Alegre, RS – Recife, PE – Rio de Janeiro, RJ
Salvador, BA – São Paulo, SP